也許該試著丟掉妳的
「完美男」清單

四十一歲女性對於何為幸福婚姻的探索，
以及「夠好」的心態如何引領她找到完美男

Marry Him:
The case for settling for
Mr. Good Enough

Lori Gottlieb
蘿蕊・葛利布——著　陳珮榆——譯

獻給我的丈夫，無論你是誰

目次 Contents

序幕　老公專賣店／怎麼走到這步田地？

Part 1

Part 2

從幻想到現實

Part 3

做出明智選擇

Part 5

統整

本書提到的事件和情節都是真人真事，而且是根據我的親身經歷和研究。書中出現的姓名和個人資料已經過修改，少數情況是應個別要求或出於我對他們的隱私疑慮而改編。

「當你無法入睡時，你就知道自己戀愛了，
因為現實終於比夢美好。

——普遍認為是蘇斯博士（*Dr. Seuss*）說的」

「所有真理都要經過三階段：
首先，受嘲笑。其次，遭到強烈反對。
最後，公認為不證自明的真理。

——亞瑟・叔本華（*Arthur Schopenhauer*）」

Prologue

序幕：老公專賣店

The Husband Store

一間老公專賣店全新開張！入口處有一個告示牌：

妳只能進去逛老公專賣店一次。這裡有六層樓，商品價值會隨著樓層增加。購物者可以從特定樓層選擇任何商品，或再上一層樓挑選，除非要離開本棟建築物，否則不能回頭選購。

於是一名女子走進專賣店。在一樓，門上牌子寫著：

樓層一　擁有好工作的男人。

「很好，」她想：「但我想要更好的。」所以她繼續往上走，那裡的牌子寫著：

樓層二　擁有好工作且愛小孩的男人。

引起她的好奇心了，但還是繼續走上三樓，那裡的牌子寫著：

樓層三　擁有好工作、愛小孩，而且非常英俊的男人。

「哇！」她想，但又覺得應該繼續往上走。

樓層四　擁有好工作、愛小孩、非常英俊，而且會共同分擔家務的男人。

「沒有比這個條件更好了吧！」她驚呼道。但內心有股聲音：「或許還有更好的？」她走上樓，看了看牌子。

樓層五　擁有好工作、愛小孩、非常英俊、會共同分擔家務，而且幽默感十足的男人。

找到所要的條件後，她很想留下來，但某種力量驅使她走上第六層樓，那裡的牌子寫著：

樓層六　妳是第 42,215,602 位走到這個樓層的人。本樓層沒有男人，只是證明女人多麼難取悅。感謝您光臨老公專賣店。

請注意：

為了避免性別歧視的指控，店家在對街開了另一間老婆專賣店。

樓層一是熱衷性愛的老婆。

樓層二是熱衷性愛且善良的老婆。

樓層三是熱衷性愛、善良且喜歡運動的老婆。

樓層四、五、六從來沒有人上去過。

——關於找丈夫的老笑話，我的版本

好吧，都寫在這裡了。如果是我去逛老公專賣店，我的購物清單上會有這些特質，順序不分。

- 聰明
- 善良

■相當風趣
■求知慾旺盛
■喜愛小孩
■財務穩定
■情緒穩定
■性感
■浪漫
■熱情洋溢
■具憐憫心
■挑戰傳統
■直覺靈敏
■慷慨大方
■宗教信仰相同，但不要太虔誠

- 樂觀，但不天真
- 上進有企圖心，但不是工作狂
- 才能出眾但謙虛
- 親切但不黏人
- 腳踏實地但不無趣
- 充滿靈性但不過度新潮
- 可以脆弱但不軟弱
- 另類但不奇怪
- 自由奔放但有責任感
- 魅力四射但為人真誠
- 堅強而敏銳
- 愛好運動但不是運動狂
- 思想開放但信念堅定

- 果斷但不獨斷
- 成熟但不老成
- 富有創造力但不是藝術家
- 支持我的夢想和目標
- 對世界有驚奇感
- 與我年齡相仿（與我有共同的文化背景）
- 良好的傾聽者和溝通者
- 懂得變通並願意妥協
- 精通各種事物：受過良好教育、遊歷四方、見多識廣
- 身高超過五呎十吋，但低於六呎（介於一百七十七公分至一百八十二公分之間）
- 頭髮濃密（最好是深色微捲，不要金髮）
- 政治觀點相同
- 價值觀相同

- 不喜歡科幻或漫畫
- 品味／美感良好
- 注重健康且身體健康
- 關懷整個社區
- 關懷動物
- 在工作方面能幹稱職
- 對家裡修繕雜務很在行
- 會下廚
- 喜歡戶外活動（健行、騎腳踏車、溜直排輪）
- 喜歡我的朋友們（我也喜歡他的朋友）
- 不會喜怒無常
- 值得信賴
- 具有團隊精神

- 具有文學涵養，喜歡雙關語文字遊戲
- 擅長數學或科學
- 喜歡討論（但不是爭辯）政治或國際時事
- 時尚
- 激勵人心
- 不邋遢，尊重我們的生活空間
- 瘋狂地愛著我

事實上，這並不是我目前的條件清單，而是我坐下來寫這本書的出發點。我以前從未列過「清單」，但有位已婚朋友叫我試試看。我跟她說我沒有預設的條件，她堅持說我有，哪怕只是在腦袋裡想想也算。

「我無法量化我正在尋覓的事物，」我說：「我都是剛好愛上。」

但她是對的：我花了整整三分鐘來描述我的理想對象。即使從來沒有寫過條件清單，但顯然我內心仍保留一份檔案。接著她進一步說：讓這份清單更精煉，更貼近現實。

我試著修改一下。劃掉一些無關緊要的條件，他不一定要會下廚（再說，他總是可以學習）；如果他身高只有五呎七吋，不到五呎十吋，我也可以接受。但我發現，即使刪掉已經某些特質，還是留下了許多難以捨棄。也許我可以在「風趣」方面妥協，但一個無惡意的逗弄能讓你心跳加速的人，和一個他的幽默感只會讓你微笑的人，你該怎麼區分？按百分比來看，他需要多少熱情才算是「熱情洋溢」？

變數太多了。我以前和自由藝術工作者談戀愛，便想著下次得找個經濟穩定的人；後來我和醫生談戀愛，但兩人交往沒有火花。找個經濟穩定的藝術工作者或業餘時間寫小說的醫生不是不可能，只是非常罕見，再加上我想要的其他特質，更別想什麼戀愛的「化學作用」了，突然間，我為何仍然單身的謎團解開了。

也許我寫在紙上欲尋找的那個人根本不存在。也許，正如我朋友所說的，這些特質在一些幸福婚姻中並不是那麼重要。

哎呀！要是她說得沒錯呢？我是不是忽略了那些可能成為好老公的男人，因為我受到戀愛剎那的火花和條件清單所吸引，而非堅定的人生伴侶？

當然，我也不是完全搞不清楚狀況。到了三十歲的時候，我知道沒有人是完美的（包括我在內），無論我與誰結婚，對方和我們一樣，都是有缺陷的人。我期待的不是完美，而是一拍即合的強烈情感連結。我也明白，那種令人陶醉的第一次臉紅心跳感無法保證愛情天長地久，但我覺得如果沒有這個最初的跳板，戀情永遠不會開始。在我看來，如果第一次約會沒有強烈的吸引力，就沒有進行第二次約會的必要。

所以，至少在一段關係開始的時候，我期待能被誰迷得神魂顛倒（即使這表示我的愛慕對象讓我心煩意亂，害得我差點丟掉工作、失去生計）。我期待著「我只知道他就是我的真命天子！」（即使經常發生的情況是，一年後，我只知道我想要分手。）我期待能感受到某種神聖的連結性（即使這表示會持續處於暈船狀態，並且有每三十分鐘確認一次語音信箱的強迫症）。但這不就是「墜入愛河」的感覺嗎？

與此同時，我的找老公清單不知不覺變得越來越長。和很多女性一樣，隨著我的年紀越大，我想要的條件越多，因為生活經驗告訴我，自己在一段關係中不想要什麼，同時也讓我更清楚自己想要什麼。因此我會想：上一個人不是X，所以下次我要找X……，加上我先前列在清單的條件。基本上，我的老公專賣店會從六層樓建築物，變成世界上最高的摩天大樓。而且我認為我並不孤單。

一九七五年，美國將近百分之九十的女性在三十歲前結婚，但二〇〇四年，三十歲前結婚的女性只有略高於一半，這樣的想法會是原因之一嗎？或者，為什麼美國人口調查與統計局研究各年齡組別（二十五歲到四十四歲）從未結過婚的女性比例，於一九七〇年到二〇〇六年間增加了一倍多？

我想找出答案。

不同類型的愛情故事

這本書是一個愛情故事。準確來說不是我的，但可能是你們的愛情故事。

一切都從我和《大西洋月刊》編輯的一頓晚餐開始。當時我三十九歲，擔任記者，也是一位帶著幼童的單親媽媽，我在抱怨前一晚與一位口齒不清、四十五歲律師的約會，他張著嘴巴咀嚼食物，不停談論他的前妻，講了三個小時，關於我的問題卻一個都沒問。我不知道我還願不願意再去約會一次。我已經厭倦一邊吃著義大利麵一邊和陌生人聊天，我只想週六晚上穿著運動褲和我丈夫出去閒逛，像我那些已婚朋友們一樣。

為什麼我的生活會變這樣？

就在兩年前，我為《大西洋月刊》撰寫專欄〈XY檔案〉，內容講述我在三十七歲決定自己生個孩子的故事。顯然，這並不是我兒時的夢想，但與「真命天子」結婚也不是我的兒時夢想，而且到目前為止我認為自己還沒找到那個他。我想在自己還能生的時候生個孩子，所以我沒有註冊哪個線上約會網站，而是註冊線上捐精網站。不久，我發現自己懷孕了，並且仍希望遇到自己的真命天子。我的計畫是先生孩子，再找「真愛」。當時，我覺得自己充滿力量，甚至在雜誌版面上寫道，我正在做的事情似乎有點浪漫。

嗯……，哈哈哈哈哈！

現在，我和我的編輯共進晚餐，忍不住笑了出來。當然，我欣喜若狂愛上我的孩子，但面對現實吧：在葛利布家庭，事情並未如此浪漫。如同那些有新生小寶寶的已婚朋友，我的睡眠不足、脾氣暴躁、體力不堪負荷，但與她們不同的是，我是一個人做所有的事。當然，她們有時候會抱怨丈夫。而且一開始，我對自己的決定感到驕傲，因為不會像她們那樣走向似乎不太理想的婚姻，與不太理想的配偶在一起。但沒過多久，我就發現她們沒有人願意和我交換位置，一秒鐘都不要。事實上，她們抱怨歸抱怨，但其實過得很快樂，而且在許多情況下都比以前更快樂。那些原本約會時看似相當重要的事情，現在與她們的生活沒什麼關聯。反而，選擇共同經營一個家庭的想法（儘管平淡無奇、充滿挑戰且雜務繁瑣），似乎才是「真愛」的終極表現。為什麼五年前的我沒有這樣看待婚姻？

「如果我當時就知道現在我明白的事，」我跟我的編輯說：「我會用不同方式與人交往。」但我怎麼會知道呢？

正如一位四十二歲的單身朋友所言，對於許多女性來說，這是左右為難的抉擇。「如果我三十九歲就定下來，」她說：「還是會幻想世界上會有更好的。但現在我明白了。不管怎樣，都會完蛋。」

我有一位聰明且有魅力的製作人朋友，她說她應該定下來的時候，我記得我的反應很驚訝。但她解釋說我完全搞錯了。她的意思並不是要和一位她不太在乎的男人過上平淡的悲慘生活，而是要敞開心扉，和一位可能不是完全符合她條件的好男人共度美滿的人生。她告訴我，三十多歲時，她曾經以為「將就」是指勉強接受不是理想對象的人，但現在四十多歲，她開始意識到自己把「將就」和「讓步」混為一談了。

我也得到相同的結論，開始問自己一些重要的問題。退而求其次和妥協有什麼區別？談到婚姻方面，我們可以忍受什麼、可以缺少什麼？如果我們可以與眼前這個人幸福生活在一起，那還要堅持多久去找到更好的人（況且這個人可能不存在，就算存在也可能找不到）？

那天晚上，我對我的編輯提出這些問題，兩人都沒有答案。在接下來的兩個小時裡，他談他的婚姻，我談我的約會經歷，等到帳單送上來時，他表示我應該寫篇文章探討這些問題。

接下來幾個星期，我和幾位熟識朋友談到她們的感情關係，發現一些讓我驚訝的事情。無論這些人是不是因為一頭栽入愛情而結婚，現在的幸福程度似乎沒有什麼差別。兩種類型的婚姻都可能過得很好或不好。同時，與我聊過的單身女性（不滿意單身狀態）仍然拒絕那些「熱衷運動」或「太矮」的男性，因為她們認為如果嫁給不看小說的矮個子男人，婚姻就不幸福。但實際上這樣做的女性並沒有因此而婚姻不幸。

〈嫁給他：找個剛剛好的男人結婚的理由〉一文刊登在《大西洋月刊》的情人節特刊之後，我仔細閱讀來自陌生人的電子郵件，有男有女，有已婚有未婚，年齡從十八歲到七十八歲。這些郵件內容非常私密，大多數人承認他們在生活中也曾為相同的問題困擾。有些人欣然解決這些問題，並對於能與更符合現實的完美情人在一起表示感激；有些人則後悔當初因為一些現在看來微不足道的理由，而放棄一位好人。還有一些人說，當初因為「愛情火花」而結婚，一旦這個燈號熄滅，就覺得好像在勉強度日，因為看清楚對方以後，才意識到兩人根本不適合。包含牧師、拉比、媒人和婚姻治療師在內的一些人認為，以健康的方式調整自身期望，有助於幫助他們的信徒教友、客戶、友人或家庭成員找到真正美滿的關係。

而這些給我帶來了什麼？在戀愛世界裡，我正在執行我在《大西洋月刊》的文章中所建議的事項。我試圖變得更開放、更務實，專注於長久婚姻中重要的事，而不是短暫的關係，但不知為何似乎沒有用。我依然被「我的菜」所吸引，與那些不是我的菜的男人約會時，就是沒有「感覺」。我不再尋找短暫的激情，但兩人相處總是要有點「感覺」，對吧？那麼要多少「感覺」才足夠呢？

如果我想要的是特別的八分伴侶呢？

後來我收到一位單身女子的電郵，她說她並不是在尋找完美的滿分伴侶，八分就很棒了。她甚至正在和一位八分男子約會。只有一個問題，她說：「如果我想要的是特別的八分伴侶呢？」

我了解到，那正是我的問題所在，也是許多女性的問題所在。她同意我們應該尋找「不錯的人」（真實存在）而不是白馬王子（不存在），但她不知道如何實踐這點。我也不知道。事實上，當讀者來信說他們因為我的文章而決定訂婚時，我很擔心五年後會收到一大堆郵件，說他們因為我的文章而離婚，因為沒有人知道「更務實」到底是什麼意思。妥協到什麼程度是過多？你怎麼知道是自己太挑剔還是真的不適合彼此？如果與「不錯的人」在一起表示既要有激情和連結性，又要抱持合理的期望，該如何取得平衡？

為了找出答案，我決定成為約會的白老鼠。我會走出去尋找一些答案，然後應用在現實生活中。

我首先採訪最前線的婚姻研究人員、行為經濟學家、社會學家、心理學家、人類學家、神經生物學家、夫妻治療師、精神領袖、媒人、離婚律師、兩性教練及人口統計學家。我也傾聽單身和已婚人士的故事，他們有些經驗談可以分享。當然，我並不指望誰有答案，只是希望透過一些指導和見解，更能找到合適對象。或許也能幫助別人找到。

接下來的內容並不是一本建議書或約會手冊。沒有需要填寫的表格或需要遵守的「規則」。而是坦率檢視我們的戀愛沒有按部就班進行的可能原因，還有我們在關係中可能扮演的角色是什麼。然後，由讀者來決定她未來想要做出什麼樣的選擇。

我得先提醒一下，你可能不喜歡這些專家所說的。我一開始也不喜歡，花了很多時間在反駁、否認事實。但最後我了解到知識就是力量，這段旅程深刻改變了我和我的戀愛生活。同樣也會改變你的人生。

因為到最後，我發現找到一個處得來的人，才是真正的愛情故事。

PART 1

怎麼走到這步田地？

How Did We Get Here

1 約會大作戰

The Dating Trenches

某天晚上，我朋友茱莉亞打來，說她剛和男友葛雷格分手。

「我只是覺得他不夠具有啟發性，」她說。

茱莉亞兩年前認識葛雷格，兩人都二十八歲，葛雷格是她在一家非營利機構的同事。茱莉亞認為他很帥、為人親切、而且非常聰明。雖然他不怎麼時髦，總是穿著文青宅的高腰燈芯絨褲，但茱莉亞喜歡他的「真實」和「不重視物質」。與他相處時也感到自在，這是茱莉亞和幾任前男友交往時所沒有的感覺。茱莉亞從來沒有和葛雷格這樣支持自己的人交往過：無論她的目標是什麼，葛雷格都會幫忙解決；每次有人誤會她，葛雷格也都是她的依靠；而每當她沒有信心時，葛雷格就會讓她覺得自己很美。你以為這些舉動會讓茱莉亞更愛葛雷格？起初確實如此。但如今，當葛雷格想走入婚姻，事情卻往不同方向發展。

「葛雷格讓我覺得自己是世界上最好的女人，」她說：「於是我開始想，如果我這麼好，也許我應該和**更好**的人在一起。」

她說的「更好的人」，某程度是指「更有魅力的人」。葛雷格可能很害羞，在社交場合有點缺乏信心，然而茱莉亞自信且外向、妙語如珠，相較之下，葛雷格的幽默感顯得比較隱約。由於出身背景比茱莉亞普通，因此他與茱莉亞的朋友們也不太聊得來。

與此同時，由於葛雷格的鼓勵，茱莉亞在工作上步步高升，最後賺得比葛雷格多。雖然沒有差很多，但這件事情讓茱莉亞心裡不舒服。

「我想要工作，」茱莉亞說：「但我不曉得……這不是我想像中的婚姻。」

我問她想像中的婚姻是怎樣，她尷尬地嘆了口氣。

「坦白講，」她說：「我想我希望我的丈夫可以更積極上進。」

我指出葛雷格比她交往過的任何人都好，尤其比她上一任男友好太多，之前那位充滿事業心的律師，經常說要打給她卻「忘記」。反觀葛雷格深情又可靠，對自己的工作充滿熱情，兩人性生活美滿，也有共同的興趣，尤其他們又在同一個領域工作！他們在一起過得很開心。

「但他就是不夠具有啟發性，」茱莉亞重複說著：「他就是這樣，妳知道的，真的是很好、很普通的那種人。我開始覺得，『就這樣了嗎？他就是我等了一輩子的人嗎？』我擔心時間一久，我的成長會超越他，我會想要更多。」

「更多什麼？」我問。

電話那頭似乎沉默了很長一段時間。

「想要更符合我想像中的婚姻，」茱莉亞說：「他就是不適合當老公。」

就這樣，又一個好人被封殺出局。或者，他真的出局嗎？現代人到底在尋找怎麼樣的老公？

絕對不能無聊

與茱莉亞聊完後不久，我和五位二十多歲的單身女性在洛杉磯一間酒吧聚會，問她們為什麼找到「合適的老公」那麼難。她們一致認為：我們是喜歡男人，但不需要男人。為什麼要降低我們的標準呢？

「我寧可孤獨，也不願將就，」二十七歲的網頁設計師奧莉薇表示：「我在二十歲出頭碰過幾位煩人的室友，我無法想像每天和一名男室友共進晚餐、睡同張床，而他剛好是我勉強湊合的老公。」

其他人點點頭。

「我不知道妳的情況，」奧莉薇繼續半開玩笑著說：「但我需要非常深愛一個人，才能在距離他每天早上拉屎兩步遠的地方刷牙。」

我說，撇開玩笑話不談，浴室的門可以關上，但遇到好男人的機會並非總是敞開，

我問她們怎麼定義「將就」。是指選擇一位真正令人討厭的男人，還是在某些特質上妥

協，但得到其他更重要的特質？這些重要的特質是什麼？

「即使對方人很好、很聰明、很有吸引力，我也不能和一位無聊的人在一起。」電台製作人諾拉說。

「沒錯，」研究生克萊兒表示：「有些人很聰明，但當妳發現他們儘管聰明卻沒那麼有趣的時候，妳會很震驚。他們必須以有趣的方式展現聰明，必須有**好奇心**。」

「好奇，但不會太過認真，」行銷主管妮娜說：「他們必須有點前衛。」

「但不能**太**前衛，」諾拉：「他們必須是正常人，只是不要無聊。」

我請她們舉例說明「無聊」是什麼。

「他們必須有幽默感，」妮娜說：「不要光坐在那裡，對著我說的有趣事物發笑。這麼無聊的人一點都不有趣，反而**妳**還比他們有趣。」

「或者相反，」克萊兒說：「有些人認為，會被**他們的**笑話逗笑的**女人**就有幽默感。只有無聊的人才相信這點。」

「或者是自戀狂！」政治活動募款人羅倫出聲。「嗯哼，自戀狂很無聊！」奧莉薇附和，然後一群人哄堂大笑。

我跟這些女子說：她們的姿色都不錯，但不到絕世容顏；都很風趣健談，但不到令人神魂顛倒的地步，到了某個階段，她們可能會對這些尋找「完美情人」而不是與「某人」建立美好生活的約會感到寂寞。

「我已經感到寂寞了，但寂寞總比無聊好，」羅倫說。她發現自己穩定的募款工作有時很無聊，但至少大多時候是充實的，因此她不會為了繪畫的興趣而放棄募款工作，因為這樣風險似乎太大了。

「所以妳會在工作方面妥協，卻不會在選擇伴侶方面妥協？」我問道：「妳願意每天花八小時從事一項還可以的職業，卻不會為了真心所愛的繪畫而辭掉這份工作？」

羅倫想了一會兒。

「嗯，那不一樣，」她說：「關於職業，我的想法很實際，但對於愛情應該務實嗎？妳不能以務實來看待一種感覺。那樣似乎太……不浪漫了。」

就在這時，一位看起來年約三十歲的帥氣傢伙走了過來，想認識這幾位女子。但她們沒有理會。我問為什麼。

「太矮了，」身高五呎兩吋（約一百五十七公分）的奧莉薇表示。

「那副眼鏡是怎麼回事？」克萊兒跟著說，她自己也帶著粗框眼鏡。

我想知道，如果有一位戴著去年款式眼鏡的矮男人具備她們想要的許多特質，聰明、風趣、有點前衛、為人友善、事業成功，當然，個性絕不無聊，那她們會不會願意和他約會？第一次見面有那麼重要嗎？

「我試過，」諾拉說：「必須一開始就有感覺，不然無法讓自己受到某人所吸引。如果見面時沒有被他們的外貌所吸引，那妳只是在勉強自己，永遠不會成功。」

起初，我很驚訝，這群二十幾歲的年輕人居然這麼輕易把這個帥氣的傢伙打發走，甚至沒有考慮和他聊個天，多認識他一點。我的意思是，這裡不是大學，校園內的戀愛競爭市場勢均力敵。這裡是成年人的世界，人們成雙成對步入婚姻，單身男子越來越少，沒有像過去那樣有內建機制來認識志同道合的人。但後來我想起二十幾歲的自己，總認為自己的戀愛潛力似乎無窮，即使事實並非如此。

希望渺茫但又挑剔

啊，十歲的差別。幾天後，五位三十多歲到四十出頭的單身女性在同間酒吧與我見面，我問了同樣的問題：為什麼找個好男人那麼難？我向她們述說我和那些年輕女子聊到關於無聊和寂寞的對話內容。

「十年後再來看看她們，」史蒂芬妮開口，一位迷人的三十九歲小兒科醫師說：「如果她們一直在等待白馬王子的出現，將來將會同時感到無聊**和**寂寞。當工作不再令人振奮，一起喝酒的女孩們都變老，每逢假日，她們只能和已婚朋友的家庭、或者她們的甥姪兒女一起玩，這只會讓她們因為自己沒有家庭而感到沮喪。」

我承認，我和那些年輕女性有同感，我們都想談戀愛，但關於心儀對象必須是什麼樣的人有非常具體的想法。我解釋說，隨著我年紀越長，我的約會人生慢慢變成這種致命的悖論：**希望渺茫但又挑剔**。她們完全明白我的意思。

「對極了！」三十七歲的編劇莉茲說：「我想搖醒年輕女性，告訴她們，妳知道嗎，在公共場合笑得太大聲的男人，可能也不喜歡妳在晚宴上嚼生蘿蔔的樣子，但這點不會是他的交往地雷。」

這群女子可以輕易列出她們以前的交往地雷，那些年輕時沒有談成戀愛的理由。她們是這麼說的：

- 「他非常深情，但不夠浪漫。情人節那天，他製作了一捲錄音帶，收錄我喜愛的音樂，還替我按摩一個小時，但工作了一整天，每次看到花店的人在走廊送花束給我的同事時，我總會想：『我的花呢？』我想要一個會送花的男人。」
- 「他帶花來給我，但都是些庸俗的花，只會顯得品味很差。讓人覺得我不值得擁有更有品味的東西。」
- 「他欠缺激情，讓我覺得好像兩人已經是老夫老妻。雖然某種程度來說還不錯，但現在應該要是獻殷勤的階段吧。」
- 「他鼻毛超長的，我覺得好噁，但我沒勇氣叫他修剪，就不再跟他見面了。」

- 「他哭了。第一次我不是很開心，但沒關係。第二次，我立刻走人。我覺得他對我來說太懦弱了。」
- 「他太中規中矩了。不過後來我開始和那些不按牌理出牌的人約會，卻總是讓我提心吊膽。太可怕了。現在我願意付出一切來換取中規中矩的對象。」
- 「他的聲音搞得我很尷尬。有時候他在我家接電話，別人以為他是我，因為我的聲音有點低沉。但除此之外，他還是很有陽剛之氣，也是很棒的人。」
- 「他太樂觀了。總是興高采烈的樣子，連一大清早鬧鐘響的時候也是，我發現這點令人惱怒。他總是能找到一絲希望：『爐子壞掉，去外面吃吧！』但我會因為不得不買新的爐子而覺得心煩。我不想總是『樂觀正向』。後來我和比較厭世的人約會，結果過了一段時間，我的心情更加消沉。所以我試圖找回那個樂觀的傢伙，但他卻說我太悲觀了！」
- 「除了周圍一圈頭髮和前面一小撮頭毛，他幾乎完全禿了，實在令人倒胃口，但我試著克服，因為我真的、真的很喜歡他。我朋友都說：『他臉長得不錯，身材也很好，而且大多數男人最後都會掉髮。』但他才三十五歲，頭髮長到可以用手指梳理的男人總是吸引到我。現在，只要我遇到的男人有頭髮就很萬幸了。」

▪「他覺得自行編造奇怪的詞句很有意思，像是『棒透了（fabulosa）』。他常常這樣，在公共場合也是。有一次，他在聚會上對別人說：『當醫生不是只有棒透了的事。』我覺得非常尷尬。隔天我就跟他分手了。」

▪「他太愛我了。我覺得他就像是隻小奶狗，總是用那種崇拜的眼神看著我。我想要更有男子氣概的男人。」

▪「他不夠溫文儒雅。他看不懂酒單，沒看過《北非諜影》。我納悶，你都三十二歲了，怎麼沒看過？」

▪「我當初對他就是沒什麼感覺，但現在我想，我應該有什麼感覺呢？事實證明我更喜歡和他在一起，勝過在他之前或之後任何讓我感覺強烈的男人。」

聽了這些女性說的話，我想起年輕時錯過一些人的原因：未看先判。其中印象最深的是湯姆，我的女同志髮型師的客戶。她告訴我，對方是一位英俊、迷人、傑出的化學家，想替我們安排兩人的初次約會。

「他**只**答應我的介紹喔，」她說，聽起來像是一種認可。加上我有科學背景，而且這個人似乎非常熱門。但我拒絕了，那時我二十九歲，因為我的髮型師說湯姆有一頭紅髮，我覺得他不會吸引到我，我認為紅頭髮對我沒用。（顯然，我對男人的要求比女同志還高。）

還有一位帥氣、聰明、風趣的律師，我和他約過幾次會後失去興趣，因為他太常說「超讚的」。我記得曾和某位朋友說：「跟他在一起，什麼事都『超讚的』，沒有什麼『太棒了』或『好極了』或『有意思』，連『酷』都沒有。」我試著不去注意，但每次他說到這句話都會惹毛我。（不知為何，我一直說「好像」和「你知道的」，卻似乎沒有惹毛**他**。）

三十歲出頭的時候，我在某次聚會認識了一位可愛的軟體開發人員，他給我他的公司電話，並告訴我隨時可以打給他，他說：「我**都**會在那裡。」我不想和一名工作狂交往，所以從來沒打過。但我沒想過，他之所以都會在公司，也許是因為他正在創立自己的公司，或是如果他有女友的話，也許晚上更有理由離開公司。我也懶得去了解，因為我總以為會另有安排，另一位在聚會上的男子，或者另一個網路上的戀愛機會。即使到了三十多歲，可以選擇的男性和見面機會似乎越來越少，我還是只和那些符合我相當嚴格、事後看卻很膚淺的「標準男性」建立認真的關係。我的態度是：「我等待這麼久找尋命中注定的那個人，並不是為了在最後選擇將就。」但我真的會和紅頭髮化學家、喜歡講「超讚的」律師、或者那個創業時碰巧工作到半夜的軟體開發人員在一起嗎？

我永遠不會知道。

和我一樣，我在酒吧見面的那些女性也對她們過去否定男性的方式感到尷尬，不是太怎樣就是不夠怎樣。這些人不符合我們想像中最後會遇到的對象，結果我們什麼對象也沒有。

我問這群人，現在這些還是不是她們的交往地雷。

「如果現在遇到一個沒看過《北非諜影》的男人，」三十八歲的顧問凱西說：「我不會馬上拒絕他，但下意識仍會注意到這件事。我不能說我會完全不介意，因為這涉及更大的文化空白問題。不過，整體而言，我的交往地雷已經變了。」

現在她們的交往地雷會是什麼？有成癮症的人、脾氣不好的人、不友善的人、沒有工作的人、不溫暖或沒有慷慨精神的人、不靈活的人、不負責任的人、不誠實的人、不會是好父親的人、已經老到可以當自己爸爸的人。這些女性認為，其餘的問題都可以商量，但她們意識到這點可能為時已晚，根據她們的經驗，現在與她們約會的男性往往會有更嚴重的交往地雷，而十年前與她們約會的男性則不會。

三十七歲的藥廠業務貝絲說：「某程度上，我依然在尋找我二十五歲時會喜歡的那種人，只是現在我還希望他們能以家庭為重、成為好的家庭照顧者。我當時沒有考慮到這點，反而這些類型的人是我過去經常甩掉的。」

四十三歲的室內設計師艾咪表示認同。她說自己三十九歲以前一直都有男朋友，但「突然間，五十歲以下的人都不再約我出去了。」

於是我問，為什麼她們不能找回那個原本錯過、但現在聽起來很有吸引力的人？

她們異口同聲說：「他們都結婚了！」

誰在乎他有沒有看過《北非諜影》？

我不禁納悶，那麼嫁給那些男人的女人是誰？一個星期之後，我和其中幾位見面。從外表來看，她們似乎無異於曾甩掉自己老公的女人。她們年齡相仿，長相和教育程度也相似。事實上，我可以想像，這些已婚女性如果不是因為擁有能夠重新定義浪漫的特質，她們早已加入單身陣線聯盟。與「中規中矩」的男人結婚的南西這樣解釋：「我認為會結婚的女人和不會結婚的女人之間的區別是，不會結婚的女人永遠不會放棄她們要嫁給布萊德．彼特的念頭，她們從來沒想過她們可能根本結不了婚。她們可能會說：『永遠都遇不到那個人』，但這就像是說：『喔，我好胖。』時並不是真的認為自己胖，只是女人自嘲的說法。妳在年輕的時候總是遇到不同的男人，所以內心深處相信，命中注定的那個人會突然出現。妳不會想到，就算命中注定的那個人長得不像布萊德彼特、賺不到幾百萬美元、沒有每次在一起都讓妳心動到雙膝發軟，可能也無所謂。嗯……我是想到了，但我到三十五歲才理解。」

她就是在那個時候，遇見了「中規中矩先生」。

「許多女人說她們寧可寂寞也不願將就，但後來卻過得孤獨又痛苦，仍堅守不切實際的標準，」南西說：「她們認為自己的靈魂伴侶終會出現，值得耐心等待。如果靈魂伴侶沒有出現，她們會震驚不已且措手不及。但現在講這些都來不及了。」

她說來不及的意思是，她現在已經和中規中矩先生在一起，改變不了過去。

「**是**中規中矩沒錯，」南西承認：「但總比老是在猜那些讓人驚喜緊張的傢伙在想什麼好太多了。那不是愛，我現在擁有的就是愛。我有一位很棒的丈夫和兩個很棒的孩子，我找不到比這個更好的家了。我老公也**會**給人驚喜，只是不太明顯。」

四十二歲的莎拉，嫁給那位頭髮稀疏到剩下一圈的男人（現在他四十三歲，頭髮幾乎掉光光，只剩前面留著一撮頭毛），她告訴我，她覺得很幸運，自己在三十四歲時終於不再糾結男人有多少頭髮這樣的事情。

「早個一、兩年，我甚至不會考慮去見一個禿頭的男人。」她說，她很高興自己的心態轉變，因為沒有轉變心態的話，她就會錯過與她丈夫相愛的機會，可能最後連個丈夫都沒有。

「我不知道還有哪個男人像我老公那樣充滿魅力，而且這個年紀還願意和我約會，」她說：「如果我現在還單身，我老公可能也不會和我約會。他不會注意到我，一個善良、成功、風趣的四十三歲男人為什麼要與一個四十二歲的女人約會呢？他可以輕而易舉吸引到同樣風趣，卻更漂亮、更年輕、能夠生小孩的三十五歲女人。」

我告訴莎拉，這種說法會冒犯到很多女人。她只是聳聳肩的說：「這麼說好了，幸好我在那個時候遇見我老公。因為如果我和他擦肩而過，他早已結婚了，我仍會呆坐著，然後納悶為數不多的好男人在哪裡。」

為數不多的好男人

這個疑問正是我想知道的：為數不多的好男人在哪裡？為本書進行採訪時，我寄了一封群發郵件，要找尋年齡介於二十五歲到四十歲之間的單身男性，得到的典型回覆是：「我不認識什麼單身男性，但妳需要單身女性嗎？我認識很多還單身的女性。」

兩個星期過後，我得到了足夠的人數，只是得把「單身」的定義擴大到那些還沒結婚但已有穩定關係的男性。我回到同樣的酒吧，提出熟悉的問題：為什麼女人說她們找不到好男人？這些男性，就他們而言，似乎和那些女性一樣困惑。

大衛是一位風趣的二十九歲教授，他認為問題在於好男人就在眼前，但女人不承認他們是好男人。「有位女子跟我分手的原因是她不喜歡我穿的衣服，」他解釋：「她卻瘋狂愛上一個很會打扮但不會打電話給她的男人。」

大衛的三十二歲同事丹笑了，他以前也經歷過這種情況。「女人從不想要現有的東西，」他說：「如果三十歲以前找不到完美情人，她們會繼續尋覓更好的對象。但她們並沒有從中吸取教訓。即使五年後依然孤身一人，她們也只會變得更挑剔。等到她們快四十歲，還沒有找到完美情人，才會開始後悔當初跟我們分手，但現在我們對她們不再感興趣了。」

三十八歲已訂婚的科特表示，這些就是他前任女友們的狀況。「而那些完美情人，假設真的存在的話，想約會的對象或許是三十歲女性中最優秀的百分之一。我認識的三十歲女性都以為自己是那前百分之一。所有女人都想要十分的對象，但她們自己是十分的對象嗎？」

他的問題讓我想起我的已婚友人茱莉說過的話：「當今文化告訴我們要像在購物一樣選擇對象，但在這個購物過程中，沒有人會指出採購者本身的缺點。」

三十五歲，正和一位律師交往的史蒂夫也有同感。「我認為一些女性會自我膨脹的原因是，她們在高中時期確實受歡迎，所以長大後以為情況一樣。甚至到了二十幾歲，她們依然故我，因為追求者眾多。男人把所有錢都花在追求她們、投資在經營關係上，然後有一天她突然說：『你懂的，你是很棒的男人，只是我覺得這不是我想要的。』」

「在她們三十多歲的時候，」史蒂夫繼續說：「情況倒過來了，女孩奉獻青春給男人，以為她投資的這段關係會走向婚姻，但現在是搶手貨的男人突然說：『妳懂的，我覺得妳很好，只是並不是我想結婚的人。』女人們感到震驚，因為過去都是男人崇拜她們，但現在優勢已經轉變。我不得不說我覺得有得到一點平反，五年前拒絕我的女人，現在換她們抱怨找不到人了。」

已婚男性

艾瑞克是我的一個朋友，三十八歲的已婚作家，他現在仍和三個在遇見妻子之前甩掉他的前女友們維持友好關係。他說有一天要寫一本關於女人怎麼分析男人的書。

「我有兩個暫定書名，」他解釋：「第一個是《我的太太不完美（但我不認為是將就）》，第二個是《我不知道她為什麼要和我分手（但我已經結婚，她仍然單身）》。」

他說，女人可能會打電話給她們的十位朋友，逐項評估某個男人的一連串特質。然後，針對他不合格的部分（太邋遢、心思不夠細膩、錢賺得不夠多），考慮能不能「改造他」或「訓練他」成為她們心目中的模樣。反之，男人明白所見即所得的道理，並能夠接納這些：「當我們決定與某個人結婚時，不會去想要改造我們的妻子，也不會試圖改變她們，我們不像女人那樣拿出表格，仔細分析。我們只會想要不要和她在一起。」

另一位三十六歲的已婚朋友亨利說，雖然有些男人害怕承諾，但大多數人並不害怕，他們和女人一樣想結婚。他說，通常不願承諾只是藉口，尤其在一個男的不喜歡那個女的，但又不想放棄這段關係帶來的好處時。

「他知道自己不會和她結婚，」亨利說：「所以說什麼『現在不想認真談感情』、或『我不確定自己想要孩子』、或『我現在想專注在自己的事業上』，他認為這些話是向對方表明，如果想要一段走向婚姻的關係，她應該另尋良人。但女人以為這個男人只是困惑，自已可以改變對方，實際上男人早就下定決心。」

「與此同時，」亨利繼續：「女人無法下定決心。每次察覺到什麼異樣，都要分析好幾個月或幾年，直到最後才確定是否嫁給他。男人遇到自己想結婚的對象時，很早就會確定下來，那是一種發自內心的感覺。這就是為什麼得知當初『害怕承諾』的前男友在分手一年後結婚，女人總是震驚萬分。」

亨利說，雖然女人講求浪漫的愛情，但她們往往過度分析情況。「她們很虛偽，」他解釋：「嘴上說想要真愛，但對象最好個子要高、賺很多錢，而且不能有壞情緒或太過真實。」

他可能是對的。我朋友茱莉亞和那位「不夠具有啟發性」的男友葛雷格分手兩個月後，開始和性感、充滿企圖心的外科醫生亞當約會，亞當和她的非營利機構男友葛雷格完全不同。但這位低調、支持非營利組織的男人也有她新男友不具備的特質。她開始想念葛雷格了。

「我只是不知道我能忍受哪些事情，」她嘆了口氣，因為她即將飛往夏威夷和外科醫生共度浪漫的週末。

但真的非得如此嗎？在冷酷無情的分析和強烈的情感之間，難道沒有中間地帶嗎？

六十幾歲的女性怎麼說

關於這個中間地帶，我請教六位二十幾歲就結婚的我母親的朋友，她們說她們在孩子這一代看到的問題是：中間地帶並不存在。

「我不斷聽到我女兒的朋友說，她們希望男人有和她們一樣的情感，但男女表達情感的方式本就不同，」蘇珊這樣說，她有兩個三十多歲的女兒。「年輕女性希望男性溫柔體貼、有錢、長得好看，她們什麼都想要。」

康妮搖搖頭。「等待白馬王子可以，」她說：「但即使是白馬王子，他的襪子也會破洞。妳可以嫁給全世界最完美的人，但妳還是會有問題需要解決。只是年輕女性一看到這些破洞，就不再感興趣了。」

「我們的期望不同，」瑪琳達指出：「會有分歧是意料之中，妳不會去想：『我會結婚，但要是不順利，我們就會離婚』，這是一種作為團隊的感覺，妳會努力去協調解決。現在的女孩子總以為她們能找到更好的對象。」

在這群媽媽們中，沒有人認為妳的靈魂伴侶是地球上注定和妳在一起的唯一伴侶。對她們而言，靈魂伴侶就是與妳有深厚聯繫的人、願意接受妳真實樣貌而妳也願意接受他真實樣貌的人、陪伴妳走到最後的人。

「我認為共同渡過難關會讓你們感覺更像靈魂伴侶，」凱瑟琳說：「一起面對疾病、財務危機、雙親逝世的難關。」

「現代人不會想到要修復關係，」茱恩接著說：「我們的婚姻生活中，有時會出現兩人同時需要某些東西的情況，可能會帶來非常大的挑戰。但我認為，現代女性希望自己的每項需求都能得到滿足，如果沒有滿足，那就說明兩人關係有問題。但事實上，沒有什麼問題！那只是兩人在戀愛中的特質。」

我問她們，如果女性想要找到一個好伴侶，應該放棄什麼。

「我不懂妳必須放棄什麼，不要一開始就消極！」黛安說：「今天的女性一開始就有這樣的心態，她們有一份長長的清單，上面列出想要的條件，又認為自己得劃掉一些。何不單純找個妳喜歡的人，然後觀察兩人的發展呢？從樂觀的角度出發，而不是一開始就檢查這個人的缺點。」

凱瑟琳認同。「我有一位非常要好的朋友，幾個女兒還單身，」她說：「我想介紹她們其中一人認識一位年輕的律師，對方很聰明、風趣，願意花時間在孩子身上。她女兒用Google搜尋他，找到一張照片，然後嫌他不夠好看，連見個面都不願意。現今的女孩在一段關係還沒有發展的機會時便阻止它發生，她們有種浪漫的期待，希望第一眼就澈底愛上，並一直維持戀愛的熱度，但愛是日久生情的。」

康妮的情況正是如此。「剛認識我丈夫時，我甚至不喜歡他，」她說：「因為我在時尚界工作，而他不修邊幅，有點像怪咖。他約我出去，但我不想和他出門。不過他很堅持，後來漸漸了解他，他不僅是一個很好的人，而且是我一生的摯愛。」

我和不同人討論戀愛關係，年輕的單身女性、已婚女性、單身男性、已婚男性、以及我母親那一輩的女性，聊得越多發現我的疑惑越多：為什麼尋找真愛的過程變得這麼令人困惑？現代這種約會方式能讓女性快樂嗎？

2 預知我未來的浪漫喜劇

The Romantic Comedy That Predicted My Future

我第一次看到《收播新聞》這部電影的時候是二十歲，但我萬萬沒想到它將預知我的未來。荷莉．杭特飾演珍，一位單身的網路新聞製作人，她最好的朋友是她天才機智的同事亞倫，由艾伯特．布魯克斯飾演。他們會在深夜互通電話，知道對方要說什麼，對同樣的事情大笑，以別人辦不到的方式理解對方。聰明、風趣、善良的亞倫愛上了珍，珍卻愛上湯姆，這位由威廉．赫特所飾演，外表英俊但內心膚淺的新聞主播。湯姆注重形式勝過實質，具備一切珍所譴責的特質，但珍還是受到他吸引。最後她意識到，不能為了和湯姆在一起而放棄自己的價值觀，也不能為了與亞倫在一起而有所妥協。她雖然深愛亞倫，但沒有感覺到任何火花。

我們都經歷過這種情況，不是嗎？

珍的兩難困境：在火花和友情之間做出選擇。也許看起來是老套劇情，但實則不然，內心掙扎可能依舊，但女性可以擇一，也可以**都不選**的獨立自主，是相對新鮮的情節。珍沒有選擇亞倫或湯姆，而是決定等待「對的人」，順帶一提，這個人從未出現過。在電影的尾聲，我們看到這些角色**七年後**的現況，珍含糊提到她正和一個男的在約會，但那又怎樣？鑑於她過去七年中可能經歷幾段看似有希望但都沒有結果的關係，現在這段戀情成功的機率又有多大？而且，誰能保證現在這個男的會比她感性又聰明的靈魂伴侶亞倫更合適呢？與此同時，我們得知亞倫已經結婚並育有一子，湯姆也訂婚了。

這是悲傷的結局，但二十歲的我並沒有懷疑珍的決定是否正確。珍最後沒有結婚，也沒有孩子，我把這個結局歸因於……記住，電影製作人的厭女情結！我沒開玩笑。我現在對此事覺得非常尷尬，但我真的和女性朋友討論過，覺得好萊塢尚未準備好詮釋一位堅強女性，可以在不受到某些懲罰的情況下堅持自己立場。而我們從來沒有想過，這只是珍選擇之下的**可能結果**。事實上，我們許多人在二十多歲和三十多歲時都做過同樣的選擇，等待白馬王子或等不到那個人！最後單身。

當初我和朋友口中所謂的「厭女情結」原來是「現實」。

直到我快四十歲看了這部片的DVD，意識到我已經變成珍，拒絕了現實世界的亞倫，只是太晚才明白，我最想要的伴侶是亞倫。但是，就像電影中的亞倫一樣，我和我朋友們拒絕過的那個人已經結婚了。

二十歲的時候，我記得當初覺得片中最悲傷的時刻是亞倫向珍告白，「我愛上妳了，妳覺得怎麼樣？我一直避重就輕。」我替亞倫感到心碎。

二十年後，我覺得最悲傷的時刻是，心碎的亞倫預言到珍因為迷人但膚淺的湯姆拒絕他的結果：「六年後，我會和我的太太和兩個小孩回到這裡。我會見到妳，然後我其中一個孩子問起：『爹地，那是誰？』我會回說：『指著單身的胖女人不禮貌喔。』」現在，我替珍感到心碎。我知道亞倫那段尖酸刻薄的話有多麼真實。

更好看的比利・克里斯托

《收播新聞》播出幾年後，《當哈利碰上莎莉》上映。這一回，兩個最好的朋友確實相愛了。「**嘿，等等，再看一眼妳的好哥們**」這個想法有種不可思議的浪漫。但在二十多歲的時候，我還是對我世界裡的比利・克里斯托不感興趣。同樣愚蠢的是，我和我朋友認為這部片的寓意是種侮辱，為什麼像梅格・萊恩這樣的人應該**降低她的標準**？我們問，在現實生活中，像莎莉這麼漂亮的人會去找像哈利這樣的人嗎？可能不會。他對她有好感，但她會說她只想當朋友。

但在「現實生活」的場景中，我們沒有想到接下來可能發生的事：她拒絕他後和更吸引人的男性約會，而他會離開和別人結婚。也許她會找到另一半，也許不會；也許她找到的不是像哈利那樣與她有強烈情感連結的人，或者不能及早生下她想要的孩子。

看到莎莉得知她前男友要結婚時，哭哭啼啼地對哈利說：「我都快四十歲了！」哈利提醒她才三十二歲，距離四十歲還有八年，但莎莉叫道：「不遠了，就像是個盡頭等在那裡。和男人不一樣，查理．卓別林七十三歲還生了個孩子！」我在二十二歲時完全沒有意識到這點。

當時，四十歲對我來說似乎遙遙無期，更別提三十二歲了。我理所當然以為到那個時候我已經結婚，從沒想過我的人生會像《收播新聞》結局的珍那樣；我原以為我的人生會更像莎莉那樣，是一個與最好朋友墜入愛河的美妙浪漫故事，只不過故事發生在三十歲，我會嫁給一個我認為不僅是最好的朋友，而且非常性感的男人，更好看的比利．克里斯托、更圓滑的艾伯特．布魯克斯。這是大膽的假設，因為我既不像梅格．萊恩，而且狀態好的話，我的魅力可能只有荷莉．杭特的一半。但如同許多年輕女性一樣，我認同梅格與荷莉。雖然聽起來有點像妄想，但二十幾歲談戀愛時，我真的以為我的戀愛機會應該與她們一樣。

我有許多朋友也是如此。當然，我們會否認，但那是在撒謊，我們說不相信童話故事，但到了緊要關頭，我們也不會放棄童話故事。我們說想要真愛，但我們追求浪漫，把浪漫與愛混淆了。我們知道電影只是虛構，但在某種潛意識層面上，我們把電影當作紀錄片來看。

住在明尼阿波利斯市的三十八歲單身女性艾麗森給我的信中寫道：「在二十七歲那年，我和我所愛的男友發生爭執，我一直在等待浪漫喜劇般的回應。是我的錯。」兩人分手了，她對這個決定感到後悔。現在，眼前沒有談戀愛的機會，她打算接受人工受孕，獨自成為一名媽媽。

新娘哥吉拉 BRIDEZILLA

當然，不只是電影。整個產業都在致力於打造童話般的婚禮（順帶一提，這部分在非常受歡迎的《慾望城市》電影中變成衝突的根源），連刊登在報紙的結婚公告本身，都用「放眼望去，我們的目光瞬間對上彼此」的誇張敘述，助長我們對於找到愛情應該是什麼模樣的幻想。但就像電影一樣，報紙上的這些描述（所謂女人的體育版）從未告訴你實際的婚姻狀況。

伊麗莎・艾伯特再清楚不過了，她的婚禮曾刊登在《紐約時報》的版面。正如她所說：「和許多人一樣，我在閱讀《紐約時報》的結婚公告時，像是得意地鬆了一口氣。」然而接下來，感情發生一連串的混亂。她不到一年就分居，不久後以離婚收場。

艾伯特在她收錄於《何謂罪惡：寫給現代猶太女孩》（The Modern Jewish Girl's Guide to Guilt）一書的文章中，描述了在《紐約時報》宣布結婚前旋風般的浪漫經歷、美妙動人的婚禮儀式、以及婚後的現實，她和她的丈夫意識到他們在婚姻裡合不來，而且是一直以來。就像電影如果能拍出情侶結婚後的續集可能會有幫助一樣，艾伯特希望婚禮專欄能在所有令人羨慕的浪漫愛情故事之後，刊登「離婚公告」。她相信，至少屆時，單身人士會更理解愛是什麼、不是什麼。

她說的有道理。我在二、三十歲的時候說過我想要真愛，但我怎麼會知道什麼是真愛？已婚人士不太會和單身朋友談到他們的實際婚姻生活，而我們大多數人在螢光幕上看到的「愛情」千篇一律，都是那種情侶化解衝突後終於親吻對方的故事，對觀眾來說就像集體高潮一樣。在那之後，我們對他們的興趣就會消減，故事結束。我們只能假設這些情侶從此過著幸福快樂的日子，但如果他們光是相處就碰上諸多難題，那是什麼讓人覺得他們在維繫婚姻方面會更成功呢？

你可能納悶，在一本關於尋找合適對象的書中，這些事情有什麼好討論的？你可能想知道，為什麼我認為任何有腦袋的人，戀愛生活都會受到電影、電視節目、愛情小說、結婚公告或《時人》雜誌封面的影響。如果幾年前你問我認為這些事情會不會影響到我，我會翻白眼。我的意思是，大家都清楚，即使是男主角，在現實生活中也不符合男主角的完美形象。（還記得休．葛蘭召妓背叛伊麗莎白．赫莉的事嗎？不然想想布萊德．彼特因同戲女主角而離開珍妮佛安妮斯頓？）那為什麼我們許多人忽視了那些不符合幻想中的完美對象，但可以成為美好生活伴侶的男性呢？

我想起了已故心理學家比查夫婦威勒與瑪格麗特在《超越成敗：邁向自立與成熟》（Beyond Success and Failure: Ways to Self-Reliance and Maturity）一書中寫到所謂「對婚姻的幼稚心態」：「我們只能根據每個月的書籍、雜誌、電視、廣播、電影和其他媒體中的大量愛情故事，來猜測這樣的心態有多麼廣泛。如果大家不相信這些愛情故事的真實性，就不會買帳了。童話故事一樣精采，卻不會如此大賣特賣。」

不是問題的問題

如今，無論是電影裡還是現實生活中，兩個人交往並沒有太多外在衝突需要克服。重點不在於階級、宗教、地理或正確價值的差異，而是不知道這個人是不是真命天子的內心衝突。

換句話說，在現代，你不會愛上羅密歐之後說這段關係注定失敗，只因為他是蒙太古家族的人。反而你會開始與羅密歐約會，然後忽視他來自蒙太古家族的事實，但他如果花太多時間打電動，或者忘記你高中最好朋友的名字時，你就會開始思考，是不是該找個更成熟或更體貼的人。我們不會愛上一個人才發現一個看似難以克服的實際阻礙（例如：兩人若交往可能發生內戰），而是愛上一個人，然後自己創造一個看似難以克服的障礙（例如：不夠風趣、報稅季節有壓力過大的傾向……），來解釋我們為什麼不能和他在一起。過去，戀人們知道他們想要在一起，但不能；現在是，戀人們可以在一起，但不確定自己是否想要。然後再來抱怨找不到合適的對象。

我開始意識到，儘管我信奉基於理智層面的一切，儘管我自認是個堅強、理智的人，但在內心深處，我有一個典型的灰姑娘情節。我期望，正如那首知名的歌曲唱的那樣，有一天我的王子會來，「讓我永遠動心不已」。我從來沒有想過，把那雙不實用的玻璃鞋換成我真正能穿的鞋。

唯一的靈魂伴侶

回顧過去我在二十幾歲、三十歲出頭的約會方式，我以為等待我的理想男人時保持單身是完全合理的事，毫不奇怪。畢竟，其他人似乎都這麼做（在現實生活中以及我每次按下遙控器的時候）。在我的約會巔峰期，黃金時段的電視影集裡總是充斥著性感、成功的單身女性形象，周圍都是和她們一樣聰明絕頂、失戀的單身人士。不過有兩部明顯例外的影集，一部是關於婚姻的《大家都愛雷蒙》，諷刺的是，這部影集對於渴望結婚的年輕單身女性似乎沒有什麼吸引力；另一部是《為你瘋狂》，講述一對年輕夫婦適應婚姻生活的新潮、輕快喜劇，的確引起年輕單身女性的興趣，但後來加入了嬰兒角色，觀眾停止收看，影集便停播了。對於夢想從此過著幸福生活的單身女性而言，這些劇情或許太寫實了？

關於單身女孩的影集：《艾莉的異想世界》、《歡樂俏女郎》、《六人行》、《慾望城市》、《實習醫生》，觀眾會看到一個女人與另一個男人約會，卻不斷和她的閨蜜討論著為什麼他不適合她、為什麼應該尋找更好的人。劇情總是這樣假設，她最後會和她的「真愛」在一起，靈魂伴侶是獨一無二的，所以在談到伴侶時總是有一個清楚明確的選項。這些角色擔心犯錯，因為似乎只有一次機會，所以他們最好確定這個人是對的，似乎沒有人說過，「對的」人可能有很多個。當然，在現實生活中，每個對象都有他的樂趣與缺點，但我們很少在螢光幕上看到真實的生活。

「實境」秀

最接近「真實生活」的節目是所謂的真人實境秀，如《鑽石求千金》。某一季的黃金單身漢布萊德從兩個女人中選擇了迪安娜，後來卻在應該向她求婚之前改變了主意，讓觀眾震驚不已。

很多觀眾感到氣憤，他們想知道，迪安娜哪裡不好了？她既迷人、顧家、聰明、有魅力。布萊德以為他是誰，居然放她走？

但布萊德只是沒有感覺。如果一個女人因為沒有感覺而拒絕一個完全可以接受的伴侶，我們會支持她，並叫她去尋找「真愛」。我們會說她有能力做出這樣的決定。但如果是一個男人拒絕一個完全可以接受的伴侶，只因為他沒有感覺，那他就是渾蛋。從脫口秀到部落格，布萊德在各種場合都受到譴責，因為觀眾希望他接受這個女人，如果一開始沒有感覺那也可以日久生情呀！他們不希望他堅持追求更好的。

當然，迪安娜在《千金求鑽石》中也有自己的鏡頭，但當她剩下最後兩位候選人時，她選擇了一位標新立異、不確定是否準備好結婚生子的單板滑雪運動員，而不是寵愛她的單親爸爸，即使他能提供她聲稱非常嚮往的家庭生活。觀眾支持她選擇浪漫而非實際的決定，人們似乎認為對於女性而言，浪漫更重要。儘管迪安娜後來取消了婚約。

我們從媒體上得到關於愛情的訊息，既矛盾又適得其反。如果典型的愛情故事像這樣：男孩遇見女孩，男孩和女孩討厭彼此，男孩和女孩相互鬥嘴，男孩和女孩好不容易發現他們愛上對方，男孩和女孩從此過著幸福的生活（雖然我們從未看到這個部分），這傳達了什麼訊息？我們應該尋找一開始惹惱我們的人，還是一開始吸引我們的人？如果愛在我們最不經意的時候到來，是否表示我們如果積極求愛，那就不是真愛？我們甚至不應該嘗試，因為只有當我們不注意的時候，真愛才會出現？我們應該遵行「愛，急不得」還是「走出去，主動出擊」？

當然，儘管我很困惑，但我知道我仍然單身並不是因為看了太多浪漫喜劇或實境真人秀。前幾代女性在類似的背景下成長，但我這一代和下一代的人，也有另一套相互矛盾的訊息需要理解：有能力並希望從此過著幸福日子的意思是什麼？換句話說，如果女權主義教導我們，我們不是真的需要白馬王子，那我們該如何與大多數人想要有另一半和家庭的事實達成一致呢？

如果童話故事是「擁有一切」，那麼「擁有一切」到底是什麼意思？

3 女性主義怎麼毀掉我的戀情

How Feminism Fucked Up My Love Life

我知道這樣說不中聽，但女性主義完全毀掉了我的戀情。講句公道話，確切來說不是女性主義造成的，畢竟「女性主義」從來沒有出版過約會指南，但我認為用「女性主義的行事作法」一定沒有幫助。這並不是說我無論如何都要反對女性主義的成果，相信我，我不會。只是希望我沒有試圖將我所認為的「女性主義想法」應用在約會上。

在成長過程中，我和朋友們都認為女性主義很棒。對我們來說，女性主義代表我們在生活的各個方面都有「自由」和「選擇」。我們可以追求事業，在結婚前花時間「找尋自我」，決定完全不婚，只要我們想，性需求隨時能得到滿足。我們不需要男人也能過著充實的生活，這件事讓人感到充滿力量。畢竟，我們大多數人在經歷第一次升職之前，誰願意像我們的媽媽那樣，找個男人、嫁給他、生孩子？

但在我們二十幾歲和三十歲出頭的時候，穿梭了一段又一段感情，或者長時間談著沒有意義的戀情，我們開始覺得沒那麼有力量了。事實是，我的每個單身朋友都想結婚，但卻沒有人願意承認我們多麼渴望，因為害怕被認為很軟弱、需要人陪，或者（但願不會如此）像是個反女性主義者。我們這一代女性應該是獨立和自給自足，但我們不知道如何在不犧牲一些核心慾望的情況下，駕馭這個現代領域。

我們不想再和女孩們一起吃星期天的早午餐，我們想和另一半度過餘生。

有人稱讚我們的雄心壯志，但同時又告訴我們，雄心壯志會讓我們找不到丈夫。我永遠不明白。我認為女性不會因為過於專注自己的事業，而「忘記」關注自己的私人生活。畢竟，我認識大多數適逢戀愛年齡的女性，甚至是那些努力成為律師事務所合夥人或辛苦完成住院醫師實習的女性，百分之九十的談話內容都與男性有關：醫院裡新來的可愛醫師是誰、是不是要搬去和男友同居、約會五次後那個男生就不再打來是什麼意思……事實上，在可能遇到有趣男性的環境中工作，可能是戀愛的優勢。我們的工作時間長、志向遠大並不是問題所在，但誰也搞不清楚問題出在哪裡。

直到我發現自己快四十歲依然單身，才突然領悟到什麼。也許問題出在這個錯誤觀念，我們認為「擁有一切」就等於「從此幸福快樂」。

只是我們很多人都不太快樂。

反倒我開始看到這樣的模式：我們長大後相信自己可以「擁有一切」。「擁有一切」代表我們在生活任何方面都不應該作出妥協，包含約會戀愛；不妥協代表著「高標準」；我們的標準越高，我們就越有「自我掌控權」。

但我們有嗎？

這才是實際發生的情況：自我掌控權不知為何變成不可能達到的標準，而且忽略了一件事，在現實生活中，妳不可能隨心所欲，只憑自己的條件得到想要的一切。這正是許多人因為過度追求自我掌控權，而失去好伴侶的原因。

在二十三歲時，我曾經擁有一切

根據人口調查與統計局的統計報告，三十歲到三十四歲之間有三分之一的男性和四分之一的女性從未結過婚，這個統計數字是一九七〇年的四倍之多。起初，這個趨勢可能看起來是樂觀的，因為現代人的結婚年齡更加成熟。但與我交談過的許多單身女性卻有不同的感受。在找到命中注定的另一半之前，我們會和許多人約會（且選擇眾多），尋找真愛似乎是一種自由，但和所有人約會最終卻只讓人感到疲憊和痛苦，更不用說困惑了。文化普遍晚婚（也不能太晚！）的壓力往往對我們的傷害大於幫助。

二十九歲的潔西卡是一家博物館的通訊主任，她告訴我六年前的某個晚上，她的大學男友戴夫向她求婚，當時他們都快二十三歲，住在芝加哥，他就讀醫學院，而她正在申請自己的第一份工作。兩人已經交往四年，雖然潔西卡深愛戴夫，但她拒絕了他的求婚，原因只有一個：她覺得自己太年輕，不適合結婚。

「我心想，哪個獨立自主的女性會在還沒找到第一份工作就結婚呢？所以我告訴他，我必須自己成長，我擔心如果這麼年輕結婚，可能就做不到。我也認為自己不該嫁給第一個認真談感情的男朋友，應該和其他男人交往看看。」

分手後，戴夫傷心欲絕，要求他們不要聯繫，潔西卡開始做她覺得需要做的一切來「成長為一個人」。她搬到了新的城市，認識了新的人，專注於自己的工作，去了很多次約會。但她始終無法停止對戴夫的思念。

在接下來的兩年裡，她經常思考要不要打給戴夫，告訴他，自己犯了多麼大的錯誤，但她的朋友們，那些所謂保有自我掌控權的單身女孩，會勸她放棄。

「每次我想打電話給他，」她說：「我的朋友們都會讓我懷疑自己。『什麼？妳打算二十四歲就定下來嗎？那妳的生活呢？』我開始懷疑，這樣的生活真的如此美好嗎？我喜歡我的工作，我喜歡我的朋友，但我討厭不停約會。我交過幾個男朋友，起初很興奮，但最後我對他們都沒有我對戴夫的感覺。我沒有那麼自在，他們不像他那樣『懂我』。不是我不喜歡他們，就是他們不喜歡我，我一直在想，我已經找到我想要共度一生的人了，我還在尋找什麼？」

潔西卡會在晚上偷偷用 Google 搜尋戴夫，但沒有找到什麼訊息，只知道他還在就讀醫學院。

「我晚上會像癮君子一樣坐在電腦前，我心想，太可悲了，」她說：「這並不像是一個在大城市裡充滿力量的單身女性應該擁有的精采生活！和其他人約會，獲得更多的生活體驗，並沒有真正豐富我的生活。我熱愛我的工作，但我本來也可以在芝加哥得到一份類似的工作。我不想老是自己叫外賣，也不想和一群單身的朋友出去吃飯。我想在戴夫值待命班的時候為他煮飯。」但她隱藏了所有感受，因為她覺得不好意思。

最後，在戴夫求婚的三年後，潔西卡透過醫學院的總機找到他的電話號碼，鼓起勇氣打給他。一聽到戴夫的聲音，她的心蹦蹦跳個不停。

「他接起電話的那個瞬間，」她說：「感覺好像又回到從前。我差點哭出來。」但接著，她告訴他為什麼打電話時，戴夫沉默了。現在換成潔西卡傷心欲絕。戴夫花了兩年多的時間試圖忘記潔西卡，終於在八個月前，他遇見了新的人。他們已經正式交往，對方比戴夫大一歲，二十七歲，是醫院裡的住院醫師，正在尋找她要結婚的男人。

戴夫現在和這個女人結婚了，兩人都是兒科醫師。潔西卡從一位共同的大學朋友那裡得知，他們最近生了一個兒子。

潔西卡說話時聲音有點哽咽。「我把他放走，是因為我被灌輸了這樣的觀念：首先，妳得建立自己的生活，然後再與別人分享。首先妳要走出去，追求妳的夢想。然而，現在的我，仍然夢想遇到一個和戴夫一樣好的人。」

我可以理解潔西卡的故事。我長大後也相信，二十歲出頭是嘗試不同職業和認識不同男性的階段，根據我的時間表，接著命中注定的另一半會自動來到我家門口。在二十歲出頭或二十五歲的時候，我甚至沒有考慮過認真尋找伴侶，事實上那時候我是戀愛市場上最受歡迎的人，目標是在婚前看看外面的世界，達成「自我實現」的目標。我沒想到，有天我確實達成自我實現的目標，但會後悔。

潔西卡也沒想到。「我以為這個訊息是，『妳會擁有一切，但不是在二十三歲的時候』，」她說：「但現在我二十九歲，我預期**應該擁有**一切了，但我沒有。因為我在二十三歲已擁有過了！我們的問題是，太早結婚的話，別人會對妳評頭論足，但如果三十歲或三十五歲仍然單身，別人又會批評妳沒有結婚。」

她說的沒錯。等待時間不夠久是恥辱，等待時間太久也是恥辱。別人可能會說我「勇敢」，趁生理時鐘倒數前靠自己生了一個孩子，但總是用描述癌症病人「勇敢」的方式來形容。我清楚得很，許多人認為我就算不是警世寓言，也是輕微的悲劇人物，對某些人來說，我是她們最大的噩夢。她們可能不想被任何老舊規定所束縛，但她們又想要一個傳統的家庭。我採訪過的那些二、三十歲女性似乎很困惑，因為她們成長過程所接收的女性主義訊息，未必反映出她們個人想要的。她們自以爲自己想要的，和實際真正想要的似乎不一致。

這就是我們很多人搞砸的原因。

沒有拘束的戀愛關係

二十六歲的布魯克住在波士頓，正在攻讀女性研究的研究生學位。我告訴她，我完全支持女性掌控自主權，無論是性還是其他方面，但我很驚訝許多年輕女孩告訴我，如果在第三或第四次約會沒有和男孩發生親密接觸，對方會認為妳沒有興趣，然後就會離開。我想知道，從什麼時候開始，和一個剛認識的人（比如，剛認識八小時）沒有親密接觸，就代表缺乏興趣呢？

更重要的是，我想知道，對於那些經常對炮友暈船或發現一夜情無法獲得滿足的女性來說，這有什麼好處？性愛自由能帶來什麼賦權感？

布魯克嘆了口氣，彷彿我是老頑固。「性愛自由讓我們和男人有一樣的選擇，」她不帶感情地解釋。

「好，」我說：「但隨意性愛是妳們想要的嗎？」

「不是，」她承認：「但我希望任何想要隨意性愛的女人都有追求的自由。」

與此同時，布魯克和她男友已經同居兩年，她承認自己一直在想，等到她下個月滿二十七歲時，是不是該搬出去。「我已經準備好談一段認真的關係，」她說。

我想知道她所謂「認真的關係」是什麼意思，「同居不認真嗎？」

「大家都會同居，」她回答：「沒什麼大不了的。」事實上，由於我們現在擁有的「自由」，二十五歲到二十九歲的女性中有一半的人與男性同居過。為什麼有意結婚的女性把她們精華歲月花在男朋友身上而不是丈夫身上？我想知道，如果布魯克想結婚而非同居，為什麼一開始就搬進她男友的公寓？

她想了一會兒。「我想，我某程度上希望同居能具有一些實際上沒有的意義，」她坦白：「大多數同居的人並沒有討論未來的意義，我是說，也許有點模糊，但並不像訂婚那樣有具體的計畫。只是因為相愛才一起同居。」

沒有未來計畫的愛，自由萬歲！但這種「自由」真的讓我們更幸福嗎？

D－A－T－E是禁忌詞

以我們看待浪漫的方式為例。今日的單身人士談論浪漫就像談論終極目標一樣，但我們還擁有浪漫嗎？戀愛怎麼了？這個詞在我訪談的單身女性中聽起來很古板，她們已經習慣約砲、團體約會、砲友。我甚至不知道「約會」這個詞適不適合現在的環境。不知怎的，D－A－T－E變成禁忌詞（這不是約會，只是喝喝咖啡），我也不知道在這個大家都說「我們沒有交往，只是在約會」的時代，「約會」代表什麼意思。有時候，約會甚至沒有真正的「約會」。對方找妳參加他和他朋友的聚會（還要帶上漂亮的女伴！），妳會在晚上九點接到手機來電，要妳「出來聊聊」然後去他那裡看影片，或者要妳在他打完籃球後的二十分鐘內見面喝杯咖啡（這表示他出現時會渾身是汗，讓妳去買自己的拿鐵）。

面對這一切，外界認為女性應該保持冷靜。約會世界似乎缺乏尊重，但這些女性表示，我們應該拒絕任何對紳士行為、傳統求愛和適婚年齡成婚的期望，因為這種超脫或獨立的程度讓我們感到有自主感。

有些女性表示，她們其實很欣賞這種非約會的約會，我不得不承認，我曾經也是這樣。然後，有位年長的已婚朋友讓我明白。

「一個男人是不是我喜歡的類型，只要見面喝杯咖啡，三十秒內就知道，為什麼要在第一次約會浪費兩個小時吃晚餐？」我問她。

「因為妳不能在三十秒內知道，他是不是一個能讓妳在婚姻中幸福的人。」她說。

這就是問題所在。我太忙於試圖「擁有一切」，以至於看不到什麼能讓我在婚姻中幸福。婚姻過去被認為是舒適和穩定，這些都是好事。但是，由於女性不再需要婚姻來獲得經濟保障，甚至不再需要生孩子，所以現今的單身人士會主張「婚姻的主要目的是讓我們立刻並永遠幸福」。因此我們不會耐心觀察與對方的實際相處，如果一段關係需要太多努力，我們會認為這段關係無法讓我們幸福，我們就會放棄。因為命中注定的另一半不會脾氣暴躁，命中注定的另一半不會誤解我們，當我們想分享自己一整天發生的事情時，命中注定的另一半不會想要在下班後有獨處的時間。

在我母親那一代，擁有「幸福」婚姻的人，是來自於擁有一個共同的家庭、有人相伴、有隊友、有穩定與安全感。而現代女性說她們還需要全心全意的熱情、刺激、興奮，以及其他五十種我們母親的清單上從來沒有的條件。然而，根據羅格斯大學「全美婚姻計畫」由大衛・帕諾編撰的婚姻滿意度數據，卻顯示早婚的女性更幸福。

但因為我對「女性主義者」的概念扭曲，我的優先事項都弄混了。

女人應該想要什麼？

三十三歲的時尚採購卡洛琳告訴我，她認為自己是一名女性主義者，但仍然希望「男人當個男人」。

正如她所說的，「我不需要一個男人來照顧我，但我不會和一個不能照顧我的人交往。我想在生完孩子後保有自己的事業，但我也希望如果哪天改變主意，我也可以選擇不工作。」有趣的是，當我問她在一段關係中會尋找什麼特質時，她談到浪漫、激情和兩人相互吸引，卻沒有任何實際可以讓她選擇不工作的特質。

還有一些女性，比如我的許多大學同學，在約會期間，如果男人想娶個願意在家帶小孩的女人，而她們不符合資格，就會覺得被冒犯。她們認為，這些看似也想要一個更傳統的家庭結構的現代男性，使合適對象的數量變得更少，然而，更驚訝的是，這些女性多半最終都成為非常幸福的媽媽，有些從事兼職工作或完全不工作。她們的想法沒有自認為的那麼進步，也很高興沒人期望她們負擔一半的家庭收入。

約翰．堤爾尼在二〇〇六年《紐約時報》專欄文章中寫道，過去的老問題是「女人想要什麼？」，現代女性主義則問「女人**應該**想要什麼？」他接著引用維吉尼亞大學兩位社會學家布拉德福德．威爾科克斯和史蒂芬．諾克的研究，讓現代女性婚姻幸福的因素是什麼。結果發現，與職業婦女的妻子相比，全職主婦對丈夫和婚姻的滿意度高於職業婦女，而且在職業婦女當中，丈夫佔家庭收入三分之二的人也是最幸福的。

「現今女性希望丈夫協助更多的家務和給予更多的情感投入，」威爾科克斯告訴堤爾尼：「但她們仍希望丈夫負責家庭生計，給予她們經濟上的保障和自由。」

也難怪會這樣，傳統的職場常常讓女性在工作十五年或二十年後感到不滿足。由於不靈活的工作時間、辦公室政治、每週工作五十個小時以保持「正常」升遷，再加上更年輕的上司提出不合理的要求，整個工作環境不僅令人感到煩躁，也與許多女性想要的家庭生活格格不入。

該研究另一位社會學家史蒂芬．諾克告訴堤爾尼：「女人想要的公平，不一定等於公平。」

為什麼男人不懂我們

我訪談過的許多男人都說，女性主義影響了人們的約會方式。

「我有一個女兒，我很高興她在一個女性可以競選總統的時代長大，」結婚七年、三十八歲的艾瑞克表示：「但在我約會的時候，大多數女性都希望女性能夠競選總統，卻不是由於她們真的想要這份工作，她們只是希望有這個機會。因為當我們男人說『太好了，去吧！』我們的太太會說，她們只想從事兼職或工作幾個小時就好，我們的太太希望我們分擔一半的育兒責任、幫忙洗衣服，但她們又不想負擔一半的家庭收入。所以，雖然我完全支持女性主義，但我確實覺得困惑。」

我朋友保羅是三十歲的律師，他告訴我，雖然他只對與聰明的女人約會感興趣，但他對於她在事業上有多成功或她做什麼工作不太感興趣。

「我有些單身的女性朋友無法理解，為什麼男人不覺得她們是難得的合適對象，她們三十歲就成為律師事務所的合夥人，或者自己創業賺了第一桶金，」他解釋：「但坦白講，對女人來說，成功的意義在於個人的成就感，這樣她才可以自食其力。事業成功不是為了讓她吸引男性，因為男人知道我們不能指望女性負擔大部分的家庭收入，所以我們更感興趣的是這個人會成為怎樣的伴侶。我們喜歡和她在一起嗎？她是有趣的人嗎？她會當個好父母嗎？」

保羅說他不願意談論這個話題，因為他擔心這種說法會讓他聽起來有性別歧視。可是話說回來，他表示：「我不會只因為一個女人非常成功就追求她，但我知道很多女性會因為成功或財富而覺得一個男人有吸引力，但她們仍自稱是女性主義者。」
保羅的同事布蘭登，三十三歲單身，他告訴我，他待的律師事務所裡的女性認為，男性之所以能夠成功，是因為他們不用面對生理時鐘。他說，這是事實，但當他和他的朋友們準備結婚時，女人對他們的要求卻高得離譜。
「你不能和女性平起平坐，你必須比她成功一點，」他說：「光這點就淘汰掉她們的大多數同事和許多一般男性。然後，如果你**確實**比她成功、職位比她高，你也必須夠高大、風趣，才能配得上與她們的**第一次約會**。」
保羅身高五呎七吋（一百七十二公分），已經開始掉髮，他告訴我，他和一位鞋店銷售員約會時（他們是在他試穿樂福鞋時認識的），他的女性友人抱怨，男律師不想和與自己地位相當的女人約會。
保羅說那不是事實。「我會和她約會有兩個原因：一是我真的喜歡她。二是她真的會跟我約會！女人說，與她們地位相當的人不會跟她們約會，但**她們**才是不願意與地位相當的人約會。她們以為自己很獨立自主什麼的，但只是顯得冷漠疏遠而已。我認為她們並沒有那麼快樂。」

獨立自主或獨自一人？

保羅可能是對的。我從小到大對女性主義的理解都與自主能力有關：我們不該只是堅強而獨立，更應該為此感到**快樂**；我們應該專注在自己的生活，當伴侶出現時，那只是生活調劑，不是重心；在學會獨處的快樂之前，我們無法從一段關係中獲得快樂……

多年來，我一直認同這些觀點，但在內心深處，我並不想學習獨處的快樂。無論我的生活多麼充實（有事業、有好友；後來也有可愛的孩子、事業以及好友），我還是想找個伴侶度過餘生。雖然我不是一個會撕毀婚紗照片或仔細規劃夢想婚禮的人，但我以為結婚是理所當然的事，我從未想過自己的生活藍圖沒有丈夫、孩子或後院的小泰克溜滑梯。我不是想成為一個獨自扶養小孩的「先驅」，只是希望趁來得及的時候當個母親。

但是，僅僅因為四十歲的時候，我在《大西洋月刊》的文章中吐露了自己的想法，說出我渴望找個還可以的男人，共組一個傳統的家庭，就讓我在某些人的心目中被歸類成那種非常渴望家庭的女人。根據某些讀者的說法，我簡直是對整個女性運動的侮辱。

有人說：

「妳能不能再飢渴一點？」

「真可悲，有了兒子還不夠。」

「聽到妳需要一個男人讓我震驚不已。」

「妳真的很可悲。」

「找回一點自尊心吧！」

「妳已經把關係成癮拉到全新低點。」

「過去我替妳感到難過，因為妳有如此強烈的繁衍慾望；現在我替妳感到難過，因為妳對於結婚的渴望如此強烈。」

「妳不覺得在尋找伴侶之前，應該先對自己好一點嗎？」

「也許改變自己的觀點，別那麼渴求愛，妳可能會遇到合適的對象。」

「如果我女兒長大後像妳這樣渴望男人，那就是我在教養她的方面做錯了什麼。」

不知為何，在珍・奧斯汀之後，一個女人承認她多麼孤獨、多麼強烈想要成為傳統家庭的一份子，已經變成丟臉的事情。哪個受過教育、成熟、又活躍於社交生活的現代女性有時間孤獨呢？

妳孤獨寂寞嗎？享受生活吧！爭取晉升吧！去培養愛好！來剪個頭髮吧！妳行的，女孩！

我記得在晨間新聞節目上看到一群女人在討論，她們寧願孤單，也不願和還可以的男性交往。是嗎？真的嗎？她們寧願四十歲的時候與一群女性朋友去酒吧，然後都在等待那個對的人走進門來？節目上的女人沒有電影明星的魅力，但這似乎沒有動搖她們尋找白馬王子的信念。甚至有人說，她寧可一個人，因為永遠不知道真愛何時到來，也許在療養院找到吧。**療養院**！她真的想單身到八十歲嗎？即便如此，難道她沒有意識到，在整個退休社區中爭奪一個單身男性（還可能患有阿茲海默症），她面臨的競爭會比現在更激烈嗎？

我的二十九歲同事海莉告訴我，雖然她想和伴侶一起生活，但她不希望為任何人改變。但這是強化自主力還是僵化？難道改變不是妥協和成熟關係中不可或缺的嗎？

「女孩力量」是否讓我們變成了只關心自己的不理想伴侶？

女性一旦採取這種「我不需要男人」的態度，我們許多人就失去男人，這可能不是偶然。在二〇〇七年《時代》雜誌題為〈誰需要丈夫？〉（呃，我需要）的文章中，《慾望城市》的莎拉．潔西卡．派克說，由於女性不必再依賴男性的經濟支持，所以「我朋友們都在尋找一段像她們和女性朋友之間那樣充實、富挑戰性、有趣的關係。」

多麼愚蠢的想法！無論我多麼喜歡和女性朋友的情誼，我都不希望我的婚姻像我和我的女性朋友之間的關係那樣。我不太相信我們許多人會這樣想，把妳女性朋友的情感需求、怪癖和情緒波動考慮在內，想像一下，妳的餘生和她們每天二十四小時生活在一起會有多麼「充實、富挑戰性、有趣」。妳的女性朋友也許會不厭其煩傾聽妳一整天的瑣事，但她真的是妳想要共同養育小孩和經營家庭的人嗎？

在同一篇《時代》雜誌的文章中，一位三十二歲的媒體製作人說，她結束了與投資銀行家男友的七年感情，因為她雖然「十分崇拜他」，但她覺得和他在一起的生活「限制太多」。她解釋，她並不快樂，因為她認為無法「保有自己的靈魂」。然而，她太「愛慕他」了，所以兩人持續交往了七年。十年後，當這個女人回顧此決定時會怎麼想？

她可能想聽聽文中一位四十九歲的單身女性怎麼說：「有一陣子，我身邊圍繞著不少男性。我覺得自己對他們不太好，我時常懷疑上帝是不是因此在懲罰我，有時候回首過去，我會說，『真希望當時能做出不同的決定』。」

文章引述另一名女性的話，她不結婚也可以輕易滿足自己的性需求。那又怎樣？在時代雜誌和CNN的民意調查中，百分之四的女性說她們最希望從婚姻中得到的是性，而百分之七十五的女性說最希望得到的是陪伴。在婚姻之外，日復一日和下半輩子，她都能輕易滿足**這種**陪伴需求嗎？

一個人喝茶

無論我們承不承認，單身時常會感到孤獨，尤其是當我們到了三十幾歲，許多朋友都忙著自己的家庭。並不是說女人沒有男人就覺得不完整，而是如果說，沒有人是座孤島，那麼大多數女人也不是孤島。在我生兒子之前，每天早上在空蕩蕩的房子裡醒來，一個人吃早餐，一個人看報紙，一個人洗碗，多麼孤獨啊！

每週還要跟朋友回顧約會多麼乏味，安撫她說沒問題，只是那個男人太差勁，下一週輪到我自己的約會，她又會跟我說著同樣的話。把在地球上短暫的光陰浪費在一連串短暫的邂逅是多麼令人失望的事，本來明明可以與一位忠誠的人共度餘生，卻白白浪費時間。我還要花多久時間分析電話或電子郵件，浪費時間談論一個三天、三週或三個月後便會消失的人，然後換成另一個人、再換另一個人、又換另一個？

獨自搬到新公寓，替自己採購雜貨，除了和女性朋友通電話，聊著關於男人的事（不然呢？），睡前那些親密時刻沒有人可以交談，這種感覺多麼淒涼，太無聊乏味了。如果我們因為男人「太無趣」而拒絕考慮他們，那麼沒什麼比無止盡打轉的單身生活更無聊了。

家裡有了孩子會改變很多，妳永遠不孤單（事實上，反而會極度渴望獨處）但對成年伴侶的渴望依然存在，如果我能先清楚意識到，孩子不是解決缺乏男性陪伴的萬靈丹就好了。然而，當我決定生孩子時，並不是為了排解寂寞，而是希望在沒有生理時鐘的壓力下找到命定之人，我真心以為（極其天真）我可以把事情倒過來做：先有孩子，再找靈魂伴侶。即使我在成為父母之前很難遇到命定之人，但我沒有料想到，一旦妳獨自有了小孩，不僅前面十個月會老上十歲，而且，如果妳沒有時間洗澡、吃飯、上廁所，甚至因為工作而將妳的孩子送托兒所之外，根本沒有時間離開家，基本上不太可能有男人（更不用說命定之人）來敲妳家的門、參加那個派對。

還有一個問題，一旦為人父母，妳會在哪裡遇到單身男性？他們當然不會出現在幼兒派對或 Gymboree 童裝店，我在雜貨店遇到少數幾個，也肯定不是想找個唱著「蘋果和香蕉之歌」來逗弄搖籃裡嬰孩的媽媽。（當然，性別顛倒的話，女性購物者會**喜歡**這位單親爸爸）。

有了孩子以後，我的孤獨感並沒有減少；這種孤獨感與以往不同，甚至可能是更複雜的。既是一個人的孤獨，也是一種無法與像我一樣深切關心兒子的人，分享兒子生活中點點滴滴的孤獨。

但大聲說出來會讓人不舒服。我曾經收到一封電郵，來自一位像我這樣從未結婚的單親媽媽，她告訴我，她在單親媽媽網站上傾訴自己的孤獨，別人會告訴她，不要再自怨自艾，要「好好生活」。一名女性甚至建議她，如果她當單親媽媽這麼不開心，應該把孩子送去寄養家庭。

「我因為說有時感到孤獨而遭受抨擊，」這位單親媽媽告訴我：「但沒有人因為這位女性叫我把孩子送去寄養家庭而抨擊她！」

孤獨和渴望關係有什麼難以接受的？如果我們想找人共享字面上和隱喻上的駕駛，真的是我們的自尊或價值出問題嗎？我們非常擔心太早「定下來」，但後來卻發現「塵埃未定」讓自己很不開心，我們繼續住在單身公寓、晚餐在電視機前面吃外帶食物、期盼有個男人出現，好讓我們可以「定下來」。

當我問幾位女性「女性主義」是什麼意思時，我得到很多回答都是與男性享有同等的機會。但我們談得越多，越發覺我們的需求不同，事實上，我們想要的東西可能不一樣。談到約會，我們沒有和男性一樣的機會，尤其隨著我們的年紀增長。

原因似乎很明顯，但不知為何，我以為自己可以生個孩子，把約會先擱置一、兩年，之後再回到戀愛市場。我以為這就是「平等」和「擁有一切」的意思。

然後，等到我準備再次約會時，我參加了一個週四晚上的快速約會活動。我現在已經四十多歲，一切都變了。

讓我來講講那個週四晚上的事情。

4 快速約會的災難

Speed Dating Disaster

我已經聽說快速約會很多年，但這是我第一次嘗試與完全陌生的人坐下來，每個人花五分鐘，然後在記分卡上替對方評分。聽起來可能是奇怪的交友方式，但我想這種缺乏實質內容的形式，可以在人數和效率方面彌補回來。基本上妳會在一個小時內進行十次小型相親。如果當天晚上結束，妳在某位男士的名字旁邊勾選「是」，他也在妳的名字旁邊勾選「是」，妳們就會得到彼此的聯絡資訊，以便後續交流。

我選擇的那個週四晚上活動是為四十歲到五十歲的單身人士舉辦的。四十一歲的我，本來可以報名參加三十歲到四十歲組別，快速約會公司說可以有一年的寬限期，但我想我還是和同齡人待在一起吧。

我為這次活動盛裝打扮時，感覺有點興奮。畢竟，我會見到十位新的單身男性，已經比起我在家工作整天、沒遇到半個單身男性多更多。我以為再次「走出去」，即使沒有找到戀情，也會很有趣。畢竟，事情能有多糟？

一架飛機把我帶來這裡

晚上七點，我來到一家靠近海灘的時髦餐廳，在私密的角落處，雙人桌整齊排成列。另外九位女士（其中七位看起來不超過四十二歲）已經入座。其中六位的對面各坐一位男士。十位單身女性只有六位單身男性，這是第一個驚喜。

我看了看那六位男士。除了一人，其他人看起來都超過五十歲，還有一位特別老，長得和我最好朋友的父親幾乎一模一樣，這是第二個驚喜（這個一年寬限期還真寬）。所以我們是八位四十歲出頭的女士、兩位快五十歲的女士、一位四十多歲的男士，以及五位超過五十歲的男士。我們接獲指示去認識坐在對面的人，直到聽到鈴聲為止，然後男士們會將椅子挪到下一張桌子。

座位已經分配好。鈴聲響起，該開始了。

我的第一位男士是山姆。他禿頭，滿臉皺紋，身穿一件手肘有補丁的格紋運動外套。我們只有五分鐘的聊天時間，但才過了一分鐘，我就想知道該怎麼度過接下來的四分鐘。一開始很單純，「妳是洛杉磯人嗎？」他問。我笑著說，對，我是本地人，接著問他來自哪裡。紐約。

「哇，」我說，試圖充分利用我對面坐著一位看起來像拉斯維加斯老爺爺的事實，「那是什麼風把你吹來西岸的？」

「一架飛機，」他回答，幾乎控制不住自己的笑意，彷彿他是第一個開這種玩笑的人。我無力地笑了笑。停頓了很久。

「實際上，說來話長，」他繼續說道，儘管這是一場「快速」約會的活動。一句簡單地「我喜歡這裡的天氣」或「我搬來這裡讀大學」或「這裡有工作機會」之類的回應都行。他卻告訴我，他與家人是怎樣相處得不融洽，所以盡可能遠離他們；說他無法完成博士學位是因為指導教授心臟病發作；說他如何試圖轉學，但沒有考上；說他是怎麼搬去和他以為會結婚的女人同居的，但後來對方因為別的男人離他而去；說他最後怎麼會到派遣機構工作，然後又因為怎樣而失敗……，叮。謝天謝地，鈴聲響了，他可以換到下一桌了。

第二位男士叫保羅。保羅是另一位老爺爺（頭髮稀疏灰白，鬆垮的火雞下巴）。我問他從事什麼工作，他說他在「轉換跑道」。我問他要從什麼工作換到什麼工作？他說他以前是老師，很喜歡這份工作，但他討厭勾心鬥角，所以他現在經常打高爾夫球；他真的很想搬出那個擁擠的一房一廳租屋，但由於現在沒有工作，負擔不起兩房格局的；他想轉職，但對五十五歲的人來說很難，因為現在雇主只想招募「年輕人」。他正在滔滔不絕地批評他那所學校的校長時，我聽到令人喜悅的鈴聲響起。下一個人坐了下來。

第三位男士是桑迪。他很可愛，是現場最年輕的男性，大概四十多歲。「每個人都問我桑迪是什麼名字的簡稱，」他在我們眼神接觸的那一刻說道，雖然我沒有問這樣的問題。「是桑福德的簡稱，如桑迪．柯法克斯，那個棒球員知道嗎？他的名字也是桑福德，桑福德．柯法克斯。」

他得意地笑了。桑迪是快速約會的老手。他說他已經參加了好幾年。他講了很多聽起來像是重複很多年的笑話。他的文法很爛，每次講錯，他都會問我正確的字是什麼：「妳知道的，妳是個作家之類的。」他是個很好相處的人，有點像小男孩，但我們就像油和水無法互融，聽他表演五分鐘後，我已迫不及待聽到那聲「叮」。

第四位男士是羅傑。他有著老男人的英俊風采，像比爾．柯林頓。閒聊一番之後，羅傑告訴我，他在一九七三年搬到了洛杉磯。「還記得汽油短缺和大排長龍等待加油的場景嗎？」他問。我很想回，**我當時才六歲**，但還是很配合的笑一笑，問他做什麼工作。他經營一家人力仲介公司，但生意不好。他問我是做什麼的，我說我是作家。

羅傑傾身靠近桌子，「妳需要工作嗎？」

我以為他在開玩笑，於是我說：「目前不需要，不過情況改變的話會跟你說。也許你能幫助我。」

他沒聽懂這個笑話。「妳不該等到失業才開始找工作。找工作應該打鐵趁熱。」

「謝謝，」我回，附和他：「我會牢記這點。」

「作家工作很輕鬆，」他繼續說：「妳整天都在幹嘛?穿著睡衣閒逛?」

「呃，並沒有，」我說。

「歐普拉?」

「你說什麼?」我問。

「妳每天都看歐普拉嗎?所有和我工作過的作家，他們都無所事事。」

鈴聲響起。羅傑把他的名片塞給我。「真的，我可以幫忙，」他邊說邊移動到下一桌。

我不知該笑還是該哭。

他女兒都三十四歲了

這一輪沒有第五位男士，由於男女比例失調，每一輪都有四位女士獨自坐在位子上。活動籌備人員坐在對面陪我打發時間。他很可愛，大約三十歲，講話風趣。我跟他說，這是我第一次參加快速約會活動：「但年齡不是應該介在四十歲到五十歲之間嗎？」

「我知道，」他語帶同情表示：「我們採取信任制度，但這種情況每次都會發生，四十多歲的男性不會參加這場活動，因為，妳知道，他們想認識三十多歲的女性。我們考慮過實施年齡限制，但如果告訴四十多歲的男性，他們不能去參加較年輕的組別，我們會失去所有的客戶。」那位可愛的籌備人員移動到別桌，繼續陪伴沒有搭檔的四十多歲女士。

到第六輪，我還是一個人。我開始和隔壁的女士說話，她也在等待這一輪結束。她是身材高挑、金髮碧眼、穿著性感絨面洋裝的牙醫。談吐風趣、聰明、外向。原來我們都在同一個公園慢跑，剛看完同一本書。聊了五分鐘後，我可以想像和她成為朋友的情景。整個晚上第一次，我聽到叮聲時覺得沮喪。

終於輪到我的第五位男士。他的名字叫凱文，擁有一間淨水設備公司。我碰巧在選購淨水器，所以問他家的淨水系統能不能過濾氟化物。

「剛才那位牙醫也問我同樣的問題耶！」他說，對於這種巧合感到驚訝。「太奇怪了！」

我不認為一個牙醫問到氟化物有什麼好奇怪的，一個有小孩的女人也會問，但他至少重複了三次。連講好幾遍「太奇怪了」之後，他才回答我的問題，「我不確定，氟化物是一種化合物嗎？」我想知道他擁有一家淨水設備企業怎麼會不懂這麼基本的東西。對於一位從事水質過濾的人來說，含氟水不應該是艱澀難懂的話題。美國大部分地區供給的飲用水都是含氟的。

同時，他得知我是個記者，便極力遊說我寫一篇關於他公司的文章。我幾度岔開話題，告訴他我不寫商業題材，試圖完全改變話題，問他有什麼消遣……但他沒有接受暗示，在剩下的三分鐘糾纏不休，要我寫關於他公司的文章。情急之下，我已經準備告訴他我根本不是記者：「**我是開玩笑的！哈哈哈！其實我是會計師。我的工作與寫作、水質、或撰寫關於水質方面的文章毫無關聯**。」但我沒有機會說出口，因為很幸運，我聽到了叮一聲。

第六位男士坐下來。他叫羅伯特，是一名鰥夫。很聰明，待人親切，是個律師，三十年前可能非常英俊。他以前從未參加過快速約會活動。他說「基於充分揭露原則」自己實際上已經六十歲，只是沒有適合他這個年齡層的快速約會活動。我沒想過這個問題，人過了五十歲或五十五歲還單身時，會怎麼做？如果我還單身呢？到時候我怎麼認識男人？

稍早在休息的時候，我環顧四周，注意到兩位年長的女性，看起來將近五十歲，全神貫注地聽羅伯特講每一句話。羅伯特和她們沒有太多的眼神交流，似乎只是做做樣子。但這些女人在賣弄風騷，對他很感興趣，她們是那麼的……渴望，但她們沒有機會。我想，**那可能是十年後的我**，然後我意識到——**那就是我**。我和這些女人在同一個場合，遇到同樣的男人，這也是我現在的生活。

和羅伯特聊天的幾分鐘裡，我發現他很有趣且友善。他坦承今晚來這裡不是他的主意，是他的三十四歲女兒要他來的。我心想：他女兒都三十四歲了！我問他女兒有沒有試過快速約會活動。「沒有，她已經結婚，」他笑著說：「其實我不久前又當了爺爺！」

「又？」我說，聲音有些嘶啞，因為我努力不讓自己在桌上哭出來。「她有兩個孩子？」

「不是，我兒子也有，」羅伯特回答，「他有一個兩歲大的孩子。」我無言以對。這個男人的**孩子**已經結婚生子。我的兒子和他的孫子一樣大。我盯著桌子，羅伯特打破沉默：「那麼，妳呢？結過婚嗎？」**沒有**，我心想，**按照這個速度，我永遠結不了**。我回過神來，說：「還沒。」然後，似乎過了很久，叮聲響起。

因為我已經見過全部六位男士，所以接下來兩輪都獨自坐著，填寫我的計分卡。我在每個方格都勾選「否」

事後檢討

就這樣，活動結束。可愛的活動籌備人員讓我們給自己熱烈的掌聲（**恭喜！妳成功熬過這個夜晚！**）並請我們交出記分卡。當幾位較年輕的女士們在收拾包包時，這位籌備人員注意到我們驚魂未定的表情。「下次再試試，」他對我們說，「也許情況會有所不同？」很沒有說服力的補充。

走出去的時候，我經過餐廳的吧檯區。打扮時髦、笑容滿面的年輕男女正在談笑風生。似乎沒有人超過三十歲。

在開車回家的路上，我計算了一下這一晚的開銷。活動費用：二十五塊美元，保姆費用：四十塊美元，停車費：八塊美元，淋浴、刮腿毛、吹乾頭髮、化妝、搭配服裝所花的時間：一個半小時，尖峰時段往返的時間：一小時，失去了一個原本可以與我寶貝兒子共度的夜晚：無價。

我沒有因為這次的慘敗責備活動單位，相反，我責備我自己。在某種程度上，我意識到，這只是年輕時做出錯誤戀愛決定的後果。我知道總有人是透過快速約會認識的。我甚至認識一個人，她二十九歲時參加了一場二十五歲到三十五歲的聯誼活動，在那裡遇到她的三十二歲丈夫。她參加過三次，她告訴我，每場活動的男女人數都一樣。有些人很無聊，但大多數人交談相對愉快，他們沒有太多的包袱或悲慘的故事，即使住在糟糕的公寓裡，他們也有前途似錦的事業，他們不會讓她想到她朋友的父親。後來，我問一位四十歲單身朋友的快速約會經驗，我的經驗是不是很罕見？

「一點也不，」她告訴我，「對於四十歲到五十歲參加的人來說，聽起來很正常。」她說她在三十八歲、三十九歲時，參加過幾次三十歲到四十歲的聯誼活動，雖然這裡的男性參加者更有吸引力（她在好幾個人旁邊標註「是」），但他們只對三十出頭歲的女人感興趣。

人們總說，年紀越大，約會會變得越困難，但我以前從來沒有認真看待過。我不認為一個決定，比方說，因為缺少什麼而放棄一個好男人，會永遠改變我的人生軌跡。我在二十幾歲和三十出頭的時候，還沒有和四五十歲的女性交談過，她們對於自己因為愚蠢的理由和一位還不錯的男人分手而感到後悔，正如一位過去總是有男朋友的四十八歲設計師所說的，她們現在過著一種「沒有男人的生活，全是女性的社交生活」。

我想起了我的三十歲朋友茱莉亞，她已經和非營利組織的葛雷格分手，現在正和迷人的外科醫師亞當約會，但無法在兩人之間做出選擇。我想打電話給她，告訴她應該分清輕重緩急，弄清楚她願意做出哪些妥協，因為如果她現在放棄這兩個人，十年後他們不會出現在四十歲到五十歲的快速約會活動中，但她可能會。

不過，我卻打給瑞秋．葛林瓦，一位專門指導三十五歲以上單身女性的約會專家，看看她能給我什麼建議。我的意思是，我當時已經四十一歲，但我還沒死。我需要聽到一些充滿希望的聲音。

「幻想之所以吸引我們，是因為幻想讓我們免於痛苦，並且讓我們感受快樂。因此，我們也必須毫無怨言地接受，幻想與現實發生碰撞時，會被撞得支離破碎。

——佛洛伊德（*Sigmund Freud*）」

PART 2

從幻想到現實

From Fantasy to Reality

5 長年紀，也想長智慧

Older, and Wanting to Be Wiser

瑞秋．葛林瓦可以說是一位理性的樂觀主義者。她在電子郵件裡使用了很多驚嘆號，我在丹佛打電話給她時，都能從她熱情的聲音中聽出來，她希望大家找到愛，這是她的激情所在。如果她在第一本暢銷書《熟女結婚去》（Find a Husband After 35: Using What I Learned at Harvard Business School）中說「除了違法和不道德的事，妳願意做任何事情去尋找老公嗎？」聽起來荒謬至極，那只是因為她明白現實情況——人一旦過了二十幾歲，約會市場就改變了。

當然，幾年前《新聞週刊》指稱他們於一九八〇年代發表的某篇報導有誤，內文說四十歲以上的女性被恐怖份子殺害的機率比結婚還高，並不是真的。相反的，她們結婚的機率高達百分之四十。這則消息原本應該是讓人放心，但仔細想想：**四十歲以上會結**

婚的女性居然不到一半。此外，這些女性中有些人來不及結婚生子，更有可能嫁給一個離過婚且有小孩的人，還有另一個家庭的難題需要處理。

葛林瓦告訴我，我需要記住的第一件事是，我不是在與世隔絕的環境中約會。「妳或許很優秀，但這裡同時也有許多像妳一樣的優秀女性，所以可選擇的單身男性越來越少。隨著年齡增長，妳必須考慮到逆向的權力曲線。」

她在書中引用了一個美國人口統計數字：三十五歲以上的單身女性為兩千八百萬，而三十五歲以上的單身男性為一千八百萬。我進一步深入研究三十歲到四十四歲的人口統計數據時，發現每一百名單身女性中對應一百〇七名單身男性，而在四十五歲到六十五歲的群體，每一百名單身女性中只對應七十二名單身男性。即使這些數字聽起來已經夠驚人了，葛林瓦繼續說，在外面的世界，我這個年齡層的女性，希望甚至更渺茫。為什麼？因為許多男人都想（也可以）娶更為年輕的女人，而且注重承諾和家庭的男人通常不在會三十五歲以後仍然單身。因此，三十五歲左右的女性，最後可能會和更多過去比較複雜且問題較多的男性約會，就像到那時候，**這些女性也會**有自己的問題和複雜的過去。

「以兩位二十五歲的優秀女性為例，」葛林瓦說：「這兩位女性在吸引力方面完全相同。現在，讓她們在接下來的十年間體驗兩種不同的經歷，一種是結婚一種是保持單身，然後在她們三十五歲的時候並列來看，妳會看見兩個截然不同的女性。過著十年幸福婚姻的女人認為世界是美好的，而單身十年的女人則是憤世嫉俗且悲觀；換做是男性，情況也是如此，讓一位男性經歷成功的婚姻，另一位男性則經歷約會和失敗關係的磨難，到時候他們就會成為不同類型的男人。這就是大齡人士約會的差異之處，他們更容易厭倦，不像年輕的單身人士那樣充滿希望和吸引力。」

我告訴葛林瓦，十年前還年輕的我，並沒有考量這些因素，只是等待合適的對象突然出現在我的生活中。我以為尋覓的時間越長，最終找到的人就越好，這個想法似乎很合理。但這是錯誤的邏輯，她說，等待的時間越久，越不可能找到比你已經遇到的人更好的人。

二十五歲的約會條件

並不是所有單身的老男人都是「魯蛇」，許多約會中的女性可能會介意這點；他們只是看起來一點都不像妳十幾歲時想像中的那個人。如果妳遇見二十七歲的他，且那時候的他符合妳心目中結婚對象的形象，妳會去認識他。但同一個人到了四十五歲，即使看起來是中年人，有一個前妻和兩個孩子，經歷過人生的挫折沮喪，還是可以成為很棒的配偶。葛林瓦說，關鍵是要意識到「注重實際」並非忌諱字眼。

「目標是嫁給一個妳真正愛的人，對妳非常好、讓妳幸福的人，」葛林瓦告訴我，「但剛才我所說的，與一個男人的年齡、髮際線、以及出現在二十五歲約會條件上的所有項目，毫無關係。如果妳已經四十歲，還限制心目中的理想對象，妳會失望的。」

葛林瓦指出，對於眾多女性而言，她們的擇偶標準像這樣：「『我四十歲，想生個孩子，只對身高五呎十吋（約一七八公分）以上、四十五歲以下的人感興趣，因為我很活潑，而且看起來年輕。我是猶太人，所以對象必須也是猶太人。我比較喜歡沒有小孩的人，但如果他有小孩，我希望小孩年紀大一點或者沒有同住』，諸如此類沒完沒了！」

很高興葛林瓦和我通電話，因為我能感覺自己滿臉通紅：**無可辯駁**。我是說，想要這些有什麼不對？難道她會對一位上了年紀的單身男性說，**嘿，還記得那些你在二十幾歲不喜歡或不感興趣的女人嗎？你猜怎麼樣，她們依然單身，有些人已經離婚，你應該保持開放心態**嗎？

「完全不是！」葛林瓦強調：「我並不是說妳應該和醜陋、無聊的傢伙在一起，而是有些女性的擇偶範圍太狹隘，她們甚至找不到可以約會的男人！我根本不是希望女人將就的意思。妳還是必須和對方產生真正的化學反應，但如果機會都不給身高或年齡不符的人，妳怎麼知道不會來電？也許他很有同情心、很搞笑，還有其他沒看到的特質。」

葛林瓦解釋，有一個大問題是，我們三十五歲的標準和二十五歲的標準一樣，但我們二十五歲想要的條件對我們三十五歲的生活來說早就沒那麼重要了。我們應該更重視耐心和穩定，而不是轉瞬即逝的火花。

事實上，我們應該在二**十五歲**開始尋找這些特質，才不會二十五歲嫁給一個男人，然後在三十五歲意識到他缺乏良好婚姻所必備的特質。

「我會給二十五歲的人和妳一樣的建議，」她說：「但二十五歲的人聽不進去。」

無私與謙虛

葛林瓦給的建議很簡單：刪除任何「客觀」的交往地雷（例如年齡、身高、上哪所大學、從事什麼工作、頭髮多寡、有沒有孩子或前妻），著重於「主觀」的因素（成熟、善良、幽默感、敏銳度、承諾能力）。

我告訴她，她說起來容易，畢竟，她在十七年前結婚，當時才二十八歲。如果她四十幾歲仍然單身，別人叫她不要在意這些客觀標準，她現在會有什麼感受？

葛林瓦聽完大笑，因為她也是過來人，差點錯過了她的丈夫，因為她也是過度執著於客觀標準。回到商學院後，她曾在專業領域和她丈夫通過電話，兩人聊得很開心，但她去聯絡名冊翻找了他的照片（沒有被打動），就把他排除在可能的戀愛對象之外。直到某次在聚會上遇見他，進一步認識後，她才發覺他越來越可愛。

「在我單身的時候，」她說：「我什麼都想要！我想要對方高大英俊，聰明風趣。我的要求很明確，甚至希望對方是捲髮。」雖然她達到了一些擇偶目標（並非全部），不過她迅速指出，這些條件都與她的婚姻幸福無關。

「我在約會時，有兩種特質我從未看重過，但後來證明對我們的婚姻相當重要，那就是無私和謙虛，」她解釋：「在婚姻的日常生活中，每天都會碰上你必須選擇重視自己幸福還是對方幸福最大化的情況無數次，事實證明，我丈夫經常選擇重視我的幸福。在追求期間，我們誤以為浪漫是無私，但實際上兩者完全不同。像送花這種浪漫舉動和半夜醒來照顧孩子讓我睡覺就是兩碼子事。」

「而且，」她繼續說：「謙虛是關鍵，能夠說出誰對誰錯並不重要，對事情有不同看法也沒關係。所以我問別人，當妳基於年齡或身高理由拒絕一個男人時，妳把無私和謙虛排在擇偶清單的哪個位置？」

事實上，華盛頓大學的知名婚姻專家、暢銷書《七個讓愛延續的方法》（The Seven Principles for Making Marriage Work）的作者約翰．高曼已經表明，他可以透過觀察「妥協」、「寬容」以及「溝通方式」等基本特質來預測婚姻是否成功，準確率可達百分之九十一。

葛林瓦並沒有漠視我們許多人的心願。她的意思是，儘管我們希望那個人具備「所有」的條件，但如果想在越來越難尋找之前找到合適伴侶，我們應該重新審視擇偶標準，**而且要盡早**。

她告訴我，當她遇到三十五歲以上的女性並聆聽她們的戀愛史時，往往大同小異：「**我經歷了**一**段三年的戀情，另**一**段五年。**」或者，「**我**一**直和前男友分分合合，而不是讓自己去認識更適合的人。**」或者，「**明知**一**年半載後不會有任何進展，但我還是留下來，希望情況有所改變。**」應該改變的是這些女性挑選伴侶的方式。

根據葛林瓦的說法，她們糟蹋了約會巔峰期。

「從長遠來看，吸引她們的男人通常與她們真正想要的，穩定、責任、同情心、腳踏實地、成熟、想要孩子，完全**相反**，」她說：「妳必須記住，不能因為太迷戀某個人而把時間都浪費在他身上。」

噢，**又被說中了**。我想到某任男朋友，大部分時間都在討好我，但後來又會臨陣退縮，講出「我很害怕」之類的差勁話。我還是和他在一起了兩年半的時間。我也遇過幾個讓人怦然心動、看似浪漫多情的男人，結果他們更愛的是自己而不是我。年輕時候，我總是認為可以順其自然，不必費心主動去討論我們的未來。但葛林瓦說，在陷入真正的時間危機之前，盡早積極主動同樣重要。

「想要結婚和成家的女性，需要在她們三十多歲結束單身之前，考慮什麼才是真正重要，**而且選擇的約會對象要符合她們關於家庭和婚姻的信念**，」她告訴我：「我不想危言聳聽，只是遺憾看到別人帶著這些領悟來找我，如果十年前她們有不同的觀點，事情可能比現在容易得多。假設妳現在三十三歲，從大學時代開始約會了十一年，妳想要成家。嗯，我還是可以介紹一位四十歲想成家的好男人。但到了三十五歲，這個挑戰會更大。女人的保鮮期過半是三十五歲左右，真正的保鮮期是四十歲。一旦妳四十歲，在網路約會，沒有哪個想要孩子的男人願意見妳。已有孩子的離婚男性雖然願意認識四十歲的人，但他們許多人都動完節育手術了。」

如果葛林瓦在我三十歲講這些，我會認為她誇大其詞，或者，至少我認為自己會是個例外，不像一般年長女性的那樣。即使是現在，我也經常想，**我還是很可愛，或者我內心年輕，或者看起來不像我這個年紀的**。但事實證明她告訴我的一切都是真的。在我所有單身或已婚的朋友當中，很少人認識與我年齡相仿的單身男性，即使認識一、兩個，也沒有人願意和四十歲以上的女人約會。

因此，我有一個選擇：要麼抱怨單身女性尋找愛情的困境，不然就是利用這些對我有利的資訊。如同葛林瓦告訴我的，還是有些好消息：我有機會重新開始，這一次我可以和那些從長遠來看可能會讓我幸福的人約會。

看來葛林瓦的重點是長遠考量。過去十年來，她參與了幾百場婚姻，雖然這些女性中有許多人最初拒絕撒大網和關注主觀標準，但據她所知，她們的婚姻都沒有以離婚告終。所以，也許她說對了什麼。

與平凡人的幸福

婚姻美滿的女性告訴我，隨著年紀增長，她們認為重要的是找到完美的**伴侶**，而不是完美的**人**。這不是要降低你的標準，而是要有成熟且合理的期望，一位好的男朋友和一位好的丈夫是有區別的。隨著年紀增長，穩定性和可靠度的重要性勝過激情火花和風趣幽默。

我的大學朋友亞曼達，三十九歲，已經結婚十二年，她告訴我，關於她應該與什麼樣的人約會，她仍能記得當時整個社會所給予的壓力，尤其是她的社交圈。

「我記得就讀研究所時，一位單身、可憐的女教授聽說我和貝瑞在約會，便對我們共同的朋友說，我可以找到『條件更好的』，我當時認為她完全不懂，我沒有想得到更聰明、更好或更有前途的人。時間證明我是對的。貝瑞可能不會打扮成我喜歡的風格，或是去修繕家中物品而不是看足球，但他會為我做任何事。我得流感時，他從頭開始熬煮雞湯，而且會留意我的血壓所以不放鹽。說到底，這就是愛，一段美好的婚姻。」

亞曼達說，她單身時最大的誤解是，以為一致性等於無聊，以為「妥協」是負面詞。她希望她女兒有一天開始約會時，能搞清楚自己的輕重緩急。「如果我過去像現代單身女性拒絕男性那樣吹毛求疵的話，是不可能嫁給貝瑞或其他任何人的。」

結婚八年、育有二子的伊莉絲，這樣描述她與丈夫的關係：「我三十五歲的時候，剛被一位具備我理想條件的男人給甩了，大受打擊。幾個月後，我遇到了現在的丈夫，他只具備其中幾項條件，愛情火苗沒有立即迸發。不過，他擁有其他我真正想要的特質：完全正直、誠實坦率、即使困難也願意做對的事情、穩定、而且最重要的是，愛我並理解我。我之所以還沒遇到對的人，是因為我看錯對的人應該具備的特質！」

蘇珊娜也贊同。這位住在奧斯汀的三十歲行銷主管告訴我，她第一次婚姻嫁給了看似理想伴侶的人，而現在才是嫁給了**真正**的理想伴侶。想起自己挑選第一任丈夫時所犯下的錯誤，她笑了，而且差點再犯同樣的錯誤。

「對我來說，」她解釋：「放棄可有可無的不重要條件，把注意力擺在不可妥協的重要事情上，才是真正的關鍵。」在第三次拒絕一位有趣男子只因為他腳穿涼鞋和養貓之後，她告訴我，「我變得『開明』了，這基本上表示我願意忽略那些愚蠢的堅持，現在，我終於和我想白頭偕老的男人在一起了。」

當然，幾乎所有正在約會的人都知道，葛林瓦所說的主觀特質很重要。只是我們經常把客觀特質和主觀特質看得一**樣重**，很難找到一個活生生的人平均擁有兩種特質。如果一個人的主觀特質比客觀特質多，我們會把他排除在外。如果他有客觀特質，就很難排除他的可能性，因為客觀特質更容易衡量，而且我們會假設對方擁有表面上看不出來的主觀特質，只是不顯眼。顯然，這種想法未必正確。

四十二歲離過婚的琳恩，現在對事情的看法肯定有別於以往。「我以前有一個英俊、方形下巴的丈夫，」她解釋道：「但在他第三次出軌後，我們離婚了，我開始瞭解到外表從長遠來看並不重要，重要的是找到有實質內涵的人。遺憾的是，我們有些人要經歷過、嘗試過才會明白。」

琳恩告訴我，她辦公室有兩位優秀的男人，他們在約會上都遇到了困難。其中一位叫布萊德，體型矮壯和禿頭，但她說，「認識他以後，妳會發現他風趣、正直、搞笑、聰明、而且非常可愛」。許多女人只注意到禿頭和不太完美的身材，布萊德直到上個月，三十八歲的時候才結婚。

「男人不一定要長得像肯尼才是好男人，」她說：「我朋友布萊德當然是好男人，能留住他的女孩是個幸運的女人。」

琳恩另一個同事米契，現年三十歲，是琳恩所認識的優秀男性之一。琳恩說，他很害羞，但認識他後，會發現和他在一起很有趣。

「他沒有潮流時尚的髮型，」她說：「他也不是長得不好看，只是長相普通。他有那麼多優秀的特質，但在我看來，那個年齡層的女性似乎連看他一眼都不。我覺得很難過，從我四十二歲的角度來看，我知道很多年輕的男生真的希望找到愛情、想要承諾、想要結婚、想要小孩。而二十五歲到三十五歲之間、想擁有一切的女性往往忽略他們。

能讓我清醒的人

我知道瑞秋．葛林瓦是對的，我需要換種方式約會。但即使我試圖尋找更主觀的特質，我仍然有一個問題：我沒有遇到任何男人。

我想我應該找個媒人。

對我來說似乎邁出了激進的一步。我年輕時，從來沒想過要請個媒人，因為我總是相信自己會遇到一個男人。他可能在飛機上坐我旁邊，在乾洗店排我的後方，在同間辦公室工作，參加同場派對，在同家咖啡廳出沒。

現在想到這些情況發生的機率覺得荒謬。畢竟，我們不會讓生活其他重要方面完全取決於運氣。如果想找份工作，妳不會只是出沒在商辦大樓的大廳，然後期望雇主來搭訕攀談。如果想買房，妳不會獨自漫無目的遊走在鄰近街區，期盼找到一套正好待售、又符合妳個人品味、而且臥室和浴室數量剛好的房子。那樣未知性太高。如果這是妳找房子的唯一方法，妳可能會無家可歸。因此，妳會請一個房地產經紀人，向妳介紹符合妳需求的可能房子物件。同樣道理，為什麼不請一個媒人，向妳介紹可能的伴侶呢？

環視房間，與某個陌生人眼神對上，這樣似乎更有吸引力，但究竟我會在哪個房間找到這位迷人的陌生人？在只有我一個人的辦公室？或者在辦公室之外的其他地方，我的客廳或廚房？或者在酒吧？那裡並不是優質男人的聖地。

我訪問過的單身女性都在抱怨同樣的問題：現代忙碌的女人到底在哪裡能神奇地「偶然遇到」命定之人？在平常日，許多單身女性的行程像這樣：起床、通勤上班、工作一整天、去健身房或純女性讀書會、微波晚餐、看一下電視、回覆電郵、然後睡覺。那週末呢？和閨蜜共進午餐、處理平日沒時間做的事情，繳納帳單、拆看信件、運動鍛鍊、再找個週六晚上參加派對或去時髦酒吧，希望能與店內那個帥氣的陌生人對上眼。我不是說那不可能發生。其實我也和幾位英俊的陌生人約會過，但最後都沒有和他們共結連理。所以我不想再把事情交由天意或命運來決定。

我想找個媒人來幫忙，但我不希望她完全否定我的客觀標準，我只是希望有人能像葛林瓦建議的那樣，為我添加一些尋找對象的角度與合理判斷。我希望有人能說，「妳知道的，他可能看起來不像妳喜歡的類型，但信我這一次」。我希望她來提醒我什麼是重要的，幫助我打破因各種錯誤理由而排除好男人的習慣。

於是我打電話給溫蒂，我認識的一位當地媒人，我們約好見面喝咖啡。一週後，我邊喝著熱騰騰的拿鐵，邊向她簡述我交往遭遇的挫折：二十多歲和我同居的音樂人（可愛、聰明、有創造力，但相反性格相互吸引的理論，似乎在我們同居以後沒發揮作用）；接下來的律師（可愛、聰明、風趣、事業成功，但他占有慾太強，連我最開通的朋友也都覺得他可怕）；還沒準備好在黃金時段談戀愛的電視編劇（可愛、聰明、風趣、有創造力，但沒興趣給我承諾）；在一次派對上搭訕我的迷人投資銀行家，後來我才知道，他同時是別人的交往對象（這應該是個危險信號，對吧？）；住在遠方的記者（可愛、聰明、風趣、有創造力，是地球上最好的男人，但對於定居在哪裡和想要什麼樣的家庭生活，我們永遠無法達成共識）；共同興趣很多的政治顧問（可愛、聰明、風趣、才華洋溢，但有雙重性格），他在大多數時候都很好，除了不誠實或停止服用抗抑鬱和抗焦慮藥物的時候。透過紅娘網站認識的性感電影製作人（聰明、風趣、才華洋溢，但不是好爸爸的料）。

我告訴她，這些男人一開始理論上都很有吸引力，但顯然，我總是做出錯誤的選擇。她認為她幫得上忙嗎？

溫蒂認為她可以。事實上，她心裡已經有人選了。

6 三千五買愛情

$3,500 for Love

這不是什麼光彩事，但我差點拒絕了溫蒂介紹給我的第一位人選。提醒一下，我當時連對方的面都沒見過。我還沒看到他的照片。事實上，溫蒂的介紹聽起來很像我在尋找的那種人。他比我大四歲（不是快速約會那種五十多歲男士）、結過婚（有再婚的念頭）、是個父親（而且喜愛小孩）、受過高等教育（但好相處不擺架子）、搜集初版書（並閱讀這些書籍）、經濟穩定（並喜歡他的工作）。

即便如此，但當我聽到：①一年前，他為離婚的事情心煩意亂（最近我和一群男人約會，他們一直在回顧自己婚姻破碎的經歷）②他有四個孩子（「如果我們在一起，我們家就有五個孩子，」我告訴溫蒂，「那不只是一家人，而是一窩孩子！」）③他是狂熱的運動迷（這讓我反感）④他在一個我會把他和操著濃重口音、砸啤酒的粗魯家伙聯想在一起的地方長大，而我喜歡的「類型」是成熟的知識分子，我想看看她有沒有其他人選。

她聽了我的擔憂，但要求我重新思考。過去幾天，我們透過電子郵件往來溝通，她向我保證，這個人絕不是「愛打嗝、講話粗魯、出生於布朗克斯區的運動狂」，而是「受過常春藤盟校教育、具有企業法律顧問的修養」。在我問到關於他的髮際線、身高和風不風趣時，她回說他「有高度、有頭髮、有幽默感」。

溫蒂不拐彎抹角。「我們不能對人挑剔過頭（他可以來自曼哈頓，但不能來自布朗克斯；他可以有兩個小孩，但四個太多；他可以喜歡運動，但不能過度喜歡）。」她信中寫到，我過度分析的思維「太拘泥細節，恐使妳錯失人際關係！」

我信任溫蒂。她不是那種咄咄逼人、二手車推銷員類型的媒人，她不會拿了我的錢，然後隨隨便便挑個配對人選給我；她不是沒有人情味的公司，誰來就簽約，而是會從社區中精心挑選適合的男士；她也不是那種刻板印象、經常被諷刺的中年婦女，身穿寬鬆連身裙姆姆裝，自以為瞭解妳的氣質，聲稱有看人的「第六感」。

她是敏銳、時髦、婚姻幸福的三十多歲媽媽，撮合朋友方面很成功，才偶然成為當地的媒人。她不打廣告，只接認識的人介紹的客戶，過去幾年，她已經促成六段婚姻，還有一對情侶最近剛訂婚。她覺得我和這個人會很喜歡對方。

終於，我同意去見她安排的對象。

「重視積極面，」她寫道，並把他的名字寄給我，這樣就可以期待他的來電。

這時我才意識到自己有多麼走火入魔：**他的名字**讓我感到失望。我知道聽起來很誇張，但這是一個你會在電影中給阿宅夥伴取的名字，一個會讓孩子在操場上被取笑的名字。就像《當哈利碰上莎莉》電影中的一幕，莎莉堅持她和一個叫謝爾頓（Sheldon）的傢伙有過超棒的性愛，而哈利回說：「謝爾頓？不，很抱歉。妳不可能和謝爾頓有超棒的性愛。那個謝爾頓可以幫妳報稅。如果妳需要根管治療，他是那個人。但床上功夫不會是謝爾頓的強項。」

開放心態到此為止。我不僅仔細分析這個人的背景，而且評論了一些和他名字一樣無關緊要的事物！更糟的是：我用 Google 搜尋這個阿宅名字，在網上找到一張照片，並想：「嗯，他的臉看起來很胖。」

先回想一下，這個人，我現在稱呼他為「謝爾頓」的男人，聽起來很有意思：聰明、風趣、有成就、善良、喜歡孩子、想要一段認真的關係，而我竟然花時間分析他的名字、思索他有沒有可能減掉二十磅。謝天謝地，我恢復了理智，什麼也沒對溫蒂說。睡覺前，我發現他是我這麼久以來遇過最有意思的潛在約會對象，我熱切期待他的來電。第二天他打來時我剛好出門，他留下友好的訊息，我回電給他，也留下訊息。後來來到週末，我就再也沒有收到他的消息。

星期二，溫蒂有些壞消息。謝爾頓在星期一晚上打給她。顯然，在我為了要見他而心情矛盾的六天之內，他已經和別人約會了幾次（不是透過媒人），到了週末，事情變得緊張起來，他們現在已經有了肢體接觸。他想在打給新對象之前，看看自己剛萌芽的戀情會有什麼發展。謝爾頓已經沒空了。

很好。

我跟女性友人講述這個故事時，她們無法理解。「等等，他**才剛**認識那個女人，」

一位朋友說：「為什麼他不能也認識妳？」

「那是愚蠢的約會策略，」另一人說：「他認識那女的才一個星期。他怎麼知道自己不會更喜歡妳呢？」

我試著從朋友們的評論中得到安慰，但她們的話反而讓我更尊敬謝爾頓：他似乎沒有想到「更喜歡」的問題。他沒有所謂的約會策略，他是一位有道德的人，不會和一個女人上完床，又跑去與另一個女人相親，謝爾頓的作法理智多了。與謝爾頓約會的女人可能也不會像我這樣過度分析事情：不會糾結他是不是太喜歡運動、是不是需要減掉幾磅、是不是有點阿宅感、是不是孩子太多。

像我這樣永遠單身的女人經常如此。戀愛就像搶椅子遊戲，妳要是遲疑太久，所有的椅子都會被坐走。

情況差不多就是這樣。溫蒂想替我找個新對象，但一位四十一歲的單親媽媽不好配對。幾個星期過去，她在研究有沒有可能介紹一位聰明、風趣、有魅力的地區檢察官給我，對方離過婚，沒有孩子。但她和對方聊得越多，越發現對方在按照孩子行程安排約會方面不夠靈活；他根本不知道撫養孩子意味什麼。

她又問我是否願意接受其他宗教，雖然我對猶太人有強烈的偏好，但我還是答應了。但她和另一位可能對象聊得越多，越覺得宗教信仰對他來說是個問題。她四處尋找別人，但在她的小社交圈裡，沒有她認識的四十多歲、離過婚、有孩子的人碰巧有空並感興趣。她必須出去尋找。

現在想起那件事，我傾向認為最初我對謝爾頓的一些挑剔，與我為兩次約會支付五百美元（每次約會兩百五十美元）有關，在經濟風險如此高的情況，希望獲得兩位最好的配對人選也是合理。但「最好」是什麼意思？溫蒂無法預測我和謝爾頓之間會有怎樣的化學反應，而客觀來說，他是很有潛力的配對人選。

老實講，我想我不願意見到謝爾頓，實際上更多是因為我還沒有坦誠面對自己：我還沒有接受到了這個年紀沒有結婚又單身的現實。在某種內心深處，我還沒有準備好放棄成為某人的第一也是唯一配偶、成為某人的命定之人、擁有我們自己獨一無二的家的念頭。

我想要一個更傳統的家庭結構，沒有棘手的子女監護安排、沒有渡假地點的協商、沒有涉及前妻的問題。但是，哪個沒有小孩、沒有前妻的適齡單身男性，會對一位年紀太大，不能和他一起生孩子，而且時間和精力主要花在年幼孩子身上的女人有興趣呢？看來我最有希望的選擇是有孩子的離婚男性，我不僅要接受這個事實，還得擁抱這個事實。

二十多歲到三十出頭歲的我忽略了一些非常不錯的男性，我當時從來沒有坐下來思考，中年約會將變得多麼複雜，除非妳考量到單身男人越來越少，對妳感興趣的單身男人越來越少，願意與妳這個年紀的人約會的單身男人越來越少，以及隨著年齡增長帶來的各種限制。現在我開始看懂一切。但直到我讓另一個女人坐在謝爾頓的座位上，獨自一人站著，我才終於意識到我的選擇多麼有限。

連當地媒人都找不到我的另一個約會對象。

照我說的做，別照我做的做

溫蒂在幫忙尋找新對象的時候，我必須想辦法認識更多的男人。但該怎麼做？如果在當地媒人那裡可以獲得你從線上交友得不到的建議和觀點，那麼最大的缺點似乎是她的社交圈可能人太少。不過，社交圈小一點似乎比較好（如果妳事先知道這點的話），如果我知道約會人選只剩謝爾頓，那我會去見他（不管有沒有顧慮），再看看進展如何。然而，我仍停留在線上交友的心態，如果不喜歡這個男人的某一點，似乎還有無限多的新約會對象等著。於是我想，婚友社應該會是不錯的媒介，比當地媒人更多機會，也比瘋狂的網路更有導向性。

我拿出電話簿查了一下。排除掉那些似乎專門媒合有錢男人和美女的機構（其中一家叫做「美麗女人—成功男人」，簡明扼要總結我們原始的渴望），以及那些在全國各地都有據點、看起來規模龐大沒人情味的機構之後，我選擇了由兩姊妹經營的「Make Me A Match」。我進入她們的網站，填寫一份簡單的表格，提供姓名、電話號碼、性別、如何得知她們的……然後等待專員與我聯繫。

幾個小時後，我接到姊妹之一凱西．摩爾的來電。她一開始先做個簡單的推銷：促成五百五十場婚禮、個人化服務、瞭解什麼經驗有效……她聽起來犀利且專業，接著把話題轉到我身上。

「跟我說說妳的狀況，」她說。

我說明自己是名記者，四十一歲，從未結過婚，單親……

「妳做了什麼！去精子銀行？」她打斷了我的話。

我頓了一下。這樣問一個才和她談了三分鐘的人似乎有點冒昧。「嗯，對，」我說。

「做得好！」摩爾回：「**我**也應該這樣的。」

嗯？

原來這位媒人是四十五歲的單身女性，她希望自己在還有生育能力的時候先生個小孩。我想知道是怎麼回事：她怎麼能夠為數百人找到丈夫，自己卻找不到呢？

「不一定要生過病的人才能成為好醫生，」她說，但我不相信她的解釋。這樣類比也不正確：摩爾不是治療病患的健康醫生，她更像是患病的醫生，無法治療她擅長治療的「單身病」，這不合常理。我提到這一點時，她補充說：「嗯，還有，我不和我的客戶約會。」

好吧，我想，合理。但為什麼不上網找，或另請媒人幫她尋個對象？她似乎對任何事情都有答案。「大家都知道我是誰，」她說，我想她指的是她的工作。「和我約會，男生會害怕。」

整個情況似乎有點奇怪：她自己都沒找到歸屬了，我應該讓這顆寂寞芳心幫我找男人嗎？同時，我發現我們不適合替自己找伴侶，有時我們需要外界觀點來打擊我們認為自己應該和誰交往的幻想。

我問來找她幫忙的男人都是什麼類型。什麼樣的男性會與媒人簽約？摩爾坦承，她的女性客戶遠多於男性客戶，但她仍覺得可以替我找到合適人選，她告訴我，如果沒有適合女性客戶的男士，她會向其他媒人尋求協助。她還會瀏覽線上交友網站，如果有人看起來很有趣，她會和他見面，看看他適不適合。我喜歡這個主意：有人來篩選這些網站上的人選，這樣我就不必親自參加沒完沒了的咖啡廳約會。

下一步是我進入「幫我配對」階段，這樣凱西和她姊妹就可以瞭解我，看看哪位男士更合適。聽起來似乎值得一試，直到她拋出驚人消息。我詢問怎麼收費，她先是迴避問題，說我們可以見面再談細節。但我堅持要瞭解收費情況，她猶豫了幾分鐘後，終於鬆口：一年之內約會六次，費用三千五百美元。我拿起計算機算一下：每次約會是五百八十三美元！她們的網站看起來像是服務一般民眾，並非針對超級富豪，但五百八十三美元是非常昂貴的約會。她居然要我掏錢購買六次約會！

「我知道，價格有點嚇人，」摩爾說：「但一分錢一分貨。我們第一次見面，預計妳至少會在這裡待三個小時。然後我們每次送妳去約會，都會得到詳細的回饋。我們可能第一次約會就成功了，但可能需要一些工作來完善。妳是花錢購買個人化服務。」我跟她說雖然很感興趣，但我就是負擔不起。

「一千塊美元三場約會怎麼樣？」我問。我不懂規矩，可以和媒人討價還價嗎？

「一千塊也是要忙很多籌備工作，」她說：「對我們來說不划算。」我看得出來她想換下一位客人，她背後的電話聲音不斷響起，我想她們不缺願意支付全額費用的女性顧客。

「知道我對於像妳這樣的人有什麼建議嗎？」她說，說得好像她以前和「像我這樣的人」說過話。「去 JDate 網站，」她指的是專幫單身猶太人牽紅線的線上約會網站。

我告訴她，我已經用過 JDate 網站，在網上認識了我的上一任男友，但我想讓媒人幫我挑選合適的男人。我的上一任男友聰明、性感、有趣，但談到當個丈夫和父親時，他完全不適合，我不相信自己能從網路上挑選男人，我需要指導。

「這樣的話，那妳要做的是，」摩爾說：「好好存錢。我不想讓人覺得我拿走妳的畢生積蓄，但是妳得存錢。不要去旅行，或者放棄那雙鞋，把錢用在妳的愛情生活，讓妳的愛情成為首要任務。」

她似乎不明白，問題並非在渡假（自從生了孩子後就沒去過）或 Manolos 高跟鞋（我一雙都沒有）和我所謂的愛情生活之間做出選擇，而是關於普通民眾能不能負擔得起的現實。當我要澄清時，她回答：「我們只接受財務穩定的客戶。」她對於「財務穩定」的定義似乎與我不同。

我掛掉電話，比以前更沮喪。我懷疑如果我是男性的話，她會降低收費或完全免除費用，直接讓她的資料庫增加更多符合條件的男性。我沒有辦法為她的生意增加多少價值，這讓我想起了嫁妝制度，你需要很多錢才能把女兒嫁出去。難道這就是現代美國人的嫁妝：三十五歲以上的女性需要很多錢才能把她**自己**嫁掉？

可悲的是：雖然我謝絕參加 Make Me A Match 的配對，但並沒有完全排除這個機會，我反而想出「好好存錢」的辦法，我敢肯定凱西．摩爾知道會發生什麼。她可能不認為自己是在掠奪那些願意竭盡全力尋找好男人的脆弱單身女性，但我猜想許多參加最初三小時會面的女性，被費用嚇到後，仍是寫下支票、簽完合約才離開。我也猜想，像我這樣在電話中拒絕的女性，最後還是會回來找她，也許透過向父母借錢或刷爆信用卡，因為她留給她們一個難題：**可以為愛付出什麼代價？**

經歷了一個星期、一個月或一年的空虛約會，或者幸運的話，一段失敗的戀情後，她們可能得出結論，凱西．摩爾銷售的服務並不昂貴，而是無價的：願她們不會孤獨終老的希望。

婚姻介紹專家的課程

麗莎・克蘭彼特是紐約媒人學院的共同經營者，這是全美唯一一家培訓和認證媒人的機構。我打電話給她，詢問為什麼這些牽紅線服務這麼貴？媒人究竟知道了什麼有助於建立美好戀情，是尋求他們協助的單身人士所不知道的呢？

原來克蘭彼特並不是一直都當媒人，她曾在表維醫院擔任兒童保護服務部門的社會工作者。她喜歡與人共事，但在處理了十三年的創傷和疾病後，她已經身心俱疲。同時，她有一些撮合朋友的成功經驗，有一天，她從報紙上讀到關於媒人的文章，受到了啟發。她以前從未考慮過成為職業媒人，事實上，她甚至不知道這個時代還有紅娘的存在，但她喜歡這個點子，可以讓她體驗「社會工作的有趣元素」。

她解釋，要成為「獲認證的媒人」，以下是你要做的：從克蘭彼特的網站購買一套家庭學習包，她說，上面有你需要瞭解關於媒人行業的所有知識，包含如何預先篩選客戶、與客戶面談、進行輔導、建立業務以及簽訂合約。然後參加線上測驗，通過的話，可以參加為期一天的認證培訓，或者透過電話進行六次諮詢會議。之後提交一份商業計畫，瞧，你就獲得認證了。

我問，所以客戶要為這個認證支付三千五百美元？才參加一天研討會的陌生人知道我可能和誰合得來？

克蘭彼特說，作媒不是一門複雜的學問。

「好萊塢電影讓人覺得找到那個人似乎很困難，」她說：「但經營關係才是最難的部分。就在今天早上，我和我先生在他正要去上班的時候吵了一架。」

她認為，單身女性讓尋找變得更困難，也帶來更多不必要的焦慮。她認為美貌固然重要，但女性在外表上浪費了太多時間，而她們最大的障礙其實是年輕且不夠實際，後來甚至變得更加不切實際。

「很多女性突然意識到自己需要做些不一樣的事，跑來找我，因為她們三十七歲了，仍然單身，」她解釋：「於是她們告訴我，她們想要什麼，以為花錢請媒人，就能得到她們在面談時要求的男人。但事實並不是這樣。」

他是筆不錯的交易，我要了

四十多歲的克蘭彼特對此親身體會過。如果她不注重現實，就不會遇到自己的丈夫。「我覺得我的丈夫很可愛，但會帥到讓我說出『天啊，我緊張到出汗！』這樣的話嗎？不會。他超級友善，喜歡交友，有博士學位，還是一名教授。比起金錢，我更在乎有沒有腦袋，所以我想，他是筆不錯的交易，我要了。」

「交易」是克蘭彼特經常使用的詞，描述配偶似乎有點奇怪。但在她看來，選擇與某人共度一生，包含考量妳想從生活中得到什麼，來決定哪種方案，也就是哪種交易最適合妳。「每個人都有自己的優缺點，」她說，這是她從兩段完全不同的婚姻中得到的經驗。

第一段是典型的婚姻：她和第一任丈夫是在二十九歲時透過朋友認識的。兩人都研究所畢業，她覺得他英俊且忠誠，是從事金融產業的精明男人。但他沒有「活力」，不是「積極活躍」的人。

結婚兩年後，她離開了他。

這是正確的決定嗎？為了某種無形的生命力與一位優秀的男人離婚，而這種力量在別人身上也不一定找得到？這個問題沒有答案。

「我想如果當時我成熟點，可能會好好經營這段婚姻，」她說：「那時候成家不是我的首要任務，但現在我覺得他會是個很棒的父親，他的大家族也很好。我不懂得重視他，反而說他很無趣。但有什麼比一位真正忠誠的伴侶更好呢？擁有一位真正的好爸爸對孩子來說多好。妳可以讓開心成為這段關係的優先事項，但我連試都沒試！我太專注於外頭可能有更好的，年輕且沒有生活經驗的人，就會這樣。」她說，她遇到那些年近四十的女性也是這樣，沒有給男人一個平反的機會就拒絕他們。

克蘭彼特或許看似得到了美滿的結局，三十九歲時，她遇到並嫁給一位很積極且充滿活力的男人，但這是把雙面刃，涉及到她在第一段婚姻中不需要做出的妥協。一是放棄擁有自己的親生孩子。多年來，她和丈夫試圖透過昂貴的生殖治療來懷孕，但沒有成功，若是能在十年前懷孕可能就不是問題。他們打算領養一個兒子。二是在這段婚姻中，她的經濟狀況也不太一樣，從事金融業的男人賺得比教授多。還有一件事，她丈夫很活躍，這種個性通常是好事，但有時候感覺更像是「想做什麼就做什麼」的人。

「我丈夫是個麻煩製造者，」她說：「我喜歡他這一點。但我需要想辦法在他鬧脾氣的時候與他溝通，當我們共同規劃一些事情或者他忘記付帳單的時候，我不得不說『快點行動』，這些事情在我第一段婚姻中從未發生過。」

她表示，她的重點不是要抱怨她的丈夫，而是要強調，世上沒有完美的男人。「世上有很多男人，妳都可以和他們好好經營婚姻，而如果妳沒有意識到這點，可能一輩子都在擔心自己是不是將就了。許多人會事後猜測和評估上百件事。我身邊一直都是有錢人，我可以滿腦子都在想，我可以擁有這個！我丈夫對別的女人可能也這麼想。你們雙方都必須認為自己做了筆好交易，長久的和睦共處是靠尊重和共同的價值觀建立關係，而不是靠對不完美的判斷。」

自來水插曲

身為媒人，克蘭彼特經常看到這類判斷。以自來水插曲為例。「我把這位女士介紹給最好的男士，他們兩人出去約會，男方沒有點瓶裝水。他說自來水就好，」克蘭彼特解釋：「然後這位女士約會完向我報告，說『他點了自來水，搭地鐵來接我，連晚上都不叫計程車，很小氣。』事實上，這位男士高大、英俊又有財力，於是我說：『他可能不在乎瓶裝水或計程車，但如果妳覺得重要，或許他會理解，妳們可以一起制定預算。如果最後喜歡上彼此，這些事情都是可以商量的，至少再和他約會一次吧？』但這些事惹惱了她，她沒有興趣再出去。」

我說我很樂意認識這位自來水先生，但克蘭彼特已經把他介紹給別人，而且他們對彼此都很感興趣。她指出，那位認為他很小氣的女士，仍在尋覓對象中。

克蘭彼特像這樣媒合對象：「首先，我會看兩個人是不是有共同的感情目標；第二，我會看價值觀，比方說獨立、家庭、宗教、忠誠；第三，這個人需要的關鍵特質是什麼？最多五項，比方說，他必須非常聰明；第四，我會看共同興趣，興趣很重要，因為共同興趣可以維繫並增進情感，讓人愉快。但從長期來看，前面幾項更重要，所以我才把共同興趣放在最後面。」

我告訴克蘭彼特，我幾乎總是把共同興趣放在第一位。當然，並不是最重要的因素，但最初會受到某個人吸引是因為我們有共同的興趣。

「那妳後來結果如何？」克蘭彼特語帶挖苦地問。

我試著想像嫁給一位聰明、有趣、忠誠、成熟、顧家的男人，但他的興趣和我完全不一樣，那會怎麼樣。

如果他喜歡電玩和古董車，我喜歡文學和健走怎麼辦？如果我們根本沒有共同的興趣呢？但話說回來，我的許多親密好友都有完全不同的愛好，或者喜歡不同的電影和書籍，我們還是有聊不完的話。

「兩個聰明且風趣的人，來自相似的背景、想做的事情相似，往往會發現他們有些共同的興趣，」克蘭彼特說：「如果你們在結婚和撫養家人方面都感興趣，我不認為電玩或健走會是個問題。」

突然間，我意識到我忽略了未來另一半和我需要共同擁有的兩個最重要也是最基本的興趣：家庭生活和撫養孩子。我知道這些很重要，但我的興趣清單都是在臉書頁面上找到的膚淺東西。

我問克蘭彼特會替我挑選什麼樣的人。也就是，何謂務實的條件？她說她會選一位「也許並不是長得最迷人的男士」。體型較矮、年紀稍長、有孩子的人。

「妳對媒人來說是個挑戰，」她說：「但妳是有機會配對成功的。」

好一劑務實的良藥啊！克蘭彼特在電話那端的沉默中聽出了我的失望。

「聽著，」她說：「我要對妳說的話，和我對那些不願聽的年輕女性說的話一樣。我說，『如果妳繼續像現在這樣，會有什麼改變？妳不希望到三十歲，然後一轉眼就四十五歲，還在想，我的人生都做了些什麼？』因為，如妳所知，情況越變越難了。」

我懂歸懂，但我仍然對「較矮、年紀稍長、有孩子、長得不迷人」有意見。並不是因為我覺得自己好極了（畢竟，我也是比較矮、年紀大、有個孩子、長得不漂亮），而是因為，身為女人，很難不被灌輸這樣的觀念：無論客觀上，妳的外表有多麼普通，妳都「值得」與男性伴侶中的精英在一起。在以女性讀者為主的網站和女性雜誌上閱讀任何關於約會的文章，或者瀏覽針對單身女性的建議書籍，妳會看到這樣的內容：「妳值得與一個會主動付錢的男人在一起」、「妳值得找一個總是把妳放在首位的男人」、「妳值得和一個晚上會幫妳揉腳的男人交往」。當然，這裡所說的男人也要身材高大、皮膚黝黑、且外貌英俊。

男性會得到這樣的建議嗎？**你值得和一個超級名模在一起？你應該每天都享有口交的機會？你配得上一個願意陪你飛遍全國觀看美式足球賽的女人？**想得美。

但對女性來說，「慾望」似乎成為新的「值得」。這就是為什麼，儘管「較矮、年紀稍長、有孩子」沒什麼錯，我還是覺得自己應該得到更好的。

東挑西嫌

「在我看來，她人格有缺陷，」邱比特教練的創辦人裘莉．費曼這樣說。邱比特教練是洛杉磯最受歡迎的婚姻介紹機構之一，她談起當天早上來找她的一位潛在客戶：「我不會接受任何過於挑剔的人。」

我想請費曼告訴我，像我這樣的女性，對於和自己不喜歡的男性約會有困難的女人，實際情況是怎麼樣。

「無論我說什麼，這個女人都會找到一些負面的東西，」費曼繼續說：「我介紹了幾位紳士，讓她考慮看看，她會說對方這裡不好那裡不對的。她簡直可以說是不講道理。」

已經結婚並替人作媒二十年的費曼，和洛杉磯的既定印象完全相反。她是來自美國中西部的中年婦女，作風老派，一貫優雅有禮，她用「紳士」這樣的詞而不是「男人」，用「不講道理」這種委婉說法來表示「不切實際」。她面無表情地說：「我們在這裡是要幫助人們不要因為**過分挑剔**而錯失良緣。」

與媒人學院的麗莎．克蘭彼特一樣，費曼首先承認她的丈夫起初並不是她理想的命定之人。不是她沒在尋找，只是將近三十歲，在聖路易斯的飯店事業經營有成，經歷了幾次相親，坦白說，她已經筋疲力盡。

最後，她在「美好的期待」婚戀服務公司註冊，並遇到後來成為她丈夫和兩個兒子父親的男人。吉爾是她的媒人，後來變成她的相親對象。如果這些聽起來像一段浪漫佳話，費曼很快就會給出現實的答案。

「我做了一些妥協，」她告訴我：「他比我大十四歲，是猶太人。但我從小就是天主教徒。我討厭他那臉邋遢的落腮鬍，穿著一身俗氣的衣服。我母親總是說，『如果你們相互尊重，並且和他相處很融洽，妳就會知道自己已經找到對的人』，我從來沒聽過她的話。後來我遇到了吉爾，對他一點好感都沒有，但成為他的客戶後，我對他產生了一種非常微妙的感覺。」

因為這樣，當吉爾介紹有機會的相親對象給她時，她想知道為什麼吉爾不約她出去。有一天，她直接開口問，為什麼在客戶名冊上沒有看到他的名字？吉爾回：「我不想約我的會員出去。」於是費曼說：「那如果是會員約你出去呢？」後來他們在附近一家酒吧喝幾杯，聊了很久，度過一段愉快的時光。

但他們的第二次約會就沒有那麼順利了。「那次很無聊，」費曼說：「我想，他不是我的命定之人。」儘管如此，她還是去了第三次約會，這次「相處很融洽，但沒有火花。」這段緣份可能停在這裡，但接著費曼去外地一個星期，她和吉爾每晚都通電話聊天，並成為朋友。就在那時，費曼開始忐忑不安。費曼說，當時她對於婚姻的要求有五個重要標準：愛家並想要孩子的人、尊重她且她尊重的人、支持她的人、天主教徒、同樣是關心個人成長的人。

她在第四個和第五個標準上妥協了。她說：「我願意在宗教信仰方面採取靈活態度，所以我們的孩子從小是猶太人。」如果吉爾不願意走遍全國各地去聽各種大師的演講，費曼也願意暫停她的旅行，在當地透過瑜珈和冥想探索她的興趣，行程安排更容易管控。

但身體的吸引力呢？畢竟，費曼的描述並沒有為吉爾塑造出一個非常吸引人的形象，他的鬍鬚不好看，打扮俗氣。費曼說，她意識到，只要存在一定程度的吸引力，久而久之，仍然可以找到他的魅力，所以她立刻將身體的化學反應從她的標準中刪除。

「今天早上我遇到的那位麻煩女人，」費曼說：「她很少日久生情。」（我想到，費曼可能也會出於同樣原因覺得我「麻煩」）。費曼說，她還有一位身高五呎十吋的客戶，不願意和矮子、禿頭男或不是新教徒的男人約會。她拒絕了大多數費曼嘗試幫她牽線的男人，直到費曼找不到可以介紹的合適對象。後來，這女的搬到華盛頓特區，在工作中愛上了一位身高五呎八吋、禿頭、不是新教徒的男人，最終和他結婚。對方不是她理想中的那個人，卻是她在現實生活中尋找到的人。

誠徵：三十歲的單身女性

註冊使用費曼的服務後（三個月內介紹三次的起價為兩千九百美元，最高可達一萬五千美元），她會開始認識妳（透過簡歷、私下訪談、數張照片）；然後挑出前五位適合妳的人選。她立即強調「適合妳」的部分：她的評估是根據妳是誰、妳希望認識誰、誰單身，以及關鍵是**她認為誰有機會和妳配對成功**。她也允許客戶從她的資料庫中搜尋潛在合適對象，但只有她可以安排約會。

「妳可能會瀏覽資料庫，認為尼爾很棒、是妳的那個人，」她說，指著某位受歡迎的男性人選，「但我知道他要找的對象是誰，不是妳，所以我不會把你們配在一起。」

四十二歲的尼爾正在尋找年輕一點的女性，但費曼手邊三十出頭的女客戶並不多。而當她有這樣的人選時，通常是媽媽替自己女兒報名參加，例如某位三十三歲的醫生，對方卻一直拒絕費曼要她去認識的人。

「她說她太忙了，或者這個人不夠高。三十多歲的人想要找到另一半，但他們仍然挑三揀四，因為他們覺得不管怎樣總會找到。她說她想結婚、她想生孩子，然而，她沒有意識到，如果想要孩子，最好先找到對象！」

大多數女性在將近四十歲時才來找費曼，她的客戶多半是四五十歲的人。四十幾歲的女性尤其難搞，因為她們都有多段感情經歷，不是有很多前男友，就是沒什麼持久的戀情，而她必須弄清楚其中的原因。她們總是專注於尋找別人的不足，而不是去肯定別人的優點，費曼希望這些女人在二十九歲時就來找她。

費曼告訴所有年齡層的女性，要關注那些已經被她們所吸引的男性，而不是走進一個房間，然後希望找到最有魅力的男性。「那些回應妳的男人是可以培養感情的人，」她說：「但女性往往不會考慮這些人。」

她告訴我另一個三十八歲客戶的案例，女方想要一個身材高大、事業有成、頭髮茂密的對象。費曼介紹的每個人多少都有毛髮稀疏問題。「我說，『好，妳可以要求高個子和事業成功，但髮量這點，就饒了我吧。』」同樣，如果教育程度是客戶的首要標準，那也沒關係，前提是她不會因為男方的穿著打扮而拒絕人家。這個情況常常遇到阻力。

「有時候她們必須走到憤怒或悲傷的地步，心態才會靈活些，」她說：「今早來了一位四十七歲的女性，和今天那位三十七歲女性一樣挑三揀四。等這位女性到了五十歲，機會之窗將會徹底改變，就像三十七歲女性到四十歲的機會之窗一樣。我對這些女士說，『妳們願意再見一次嗎？』如果她們說願意，就更有機會找到她們想結婚的男人。如果她們總是說不，我真的幫不了她們。」

雖然有些媒人談論浪漫戀情，但費曼甚至不喜歡使用這個詞。對她而言，浪漫戀情是不斷進化的關係，如同她自己的婚姻。她的婚姻中最令人興奮的部分，是看見別人怎麼給妳驚喜。一個人可能表面上看起來不令人興奮，但從長遠來看，他可能會提供更令人興奮的東西：看待世界的有趣方式；讓妳工作一整天後開懷大笑的能力；以溫柔的方式激勵妳成為更好的自己；當個好爸爸。夢寐以求的男人？他絕對是。只是長得不像妳幻想中那個人的樣子而已。

「有些女人來我辦公室說『我不想將就』，」費曼說：「我回『我不是要妳將就，我只是要妳擴大妳幻想的視野』。」

戀愛的私人教練

接下來幾天，我一直在思考費曼和克蘭彼特的丈夫。他們聽起來像是，如果哪個媒人介紹類似對象給我，我可能不會考慮的人，但他們似乎讓兩位女人都感到幸福。因此，當媒人要客戶去考慮那些「太○○」或「不夠ＸＸ」的對象時，其實要說的事情很簡單：妳可以有嚴格的期望，並試圖找到符合這些期望的人，但妳也可以放棄先入為主的觀念，找到一個妳會愛上的人。

經過謝爾頓事件後，我覺得我需要的不只是一位媒人。我需要尋求艾文．馬克．凱茲的幫忙，他是知名的約會專家，他把自己比作「戀愛的私人教練」。我的學習曲線將比我預想得還要陡峭，他不僅可以從男人的角度告訴我如何做對事情，如果有誰讓我看清現實，我知道那個人一定是艾文。

7 什麼VS為什麼
The What Versus the Why

在某個暖和的秋日，艾文走進我家準備開始我們的第一次約會指導課程時，我兒子的保姆面露詫異。簡單來說，艾文是個型男，黝黑的肌膚套上T恤和短褲，濃密微捲的頭髮有點濕潤感，彷彿剛走出淋浴間，三十五歲的他，容易被誤以為比實際年齡小十歲。我想保姆一定很好奇我怎麼釣到這麼性感的對象，不過艾文的婚禮再兩個月就要舉行了。

這正是我想請他幫忙的原因：他也學會如何幸福地面對現實。他即將與一位佳人結婚，這位女性不同於他以往約會的任何人。他的未婚妻很可愛，但並不是特別亮眼；她三十九歲，看上去與實際年齡相符；她沒有令人印象深刻的成就，也不是靠伶牙俐齒讓人卸下心防，在晚宴派對上一點都不突出。客觀來看，她相貌普通，卻令艾文瘋狂墜入愛河。

這點讓我很感興趣。我認識艾文已經好幾年了，雖然別人看他是一位非常成功、睿智、正經八百的戀愛教練，但我對於他的職業選擇經常感到好笑。我對他的印象是玩咖，每次見到他總是和不同女人交往，CNN甚至封他為「連環約會達人」。後來，就在我打給他之前不久，在一場講座上碰到他，他向我介紹的人不再是另一個女朋友，而是他的未婚妻。

連完美的黃金單身漢艾文也要結婚了。

在我們見面前一週的電話裡，艾文坦言，如果他是在網路上遇見自己的未婚妻，絕對不會寄電郵給她，即使換作是她寄電郵過來，艾文也只會友善的回覆說「不了，謝謝」。她不是艾文的菜，年紀太大，沒什麼書卷味，宗教信仰也不同。

「但過去最吸引我的類型都不太適合當我的長期伴侶，」艾文解釋：「我發現到，如果一直追求那種類型的人，我永遠找不到合適的對象。瘋狂的定義就是反覆做同一件事，卻期待不同的結果。」

後來在某個聚會場合他遇到了他的未婚妻。艾文本來沒有興趣和她認真談戀愛，但他們開始約出去玩後，兩人相處的時間越久，艾文越喜歡和她在一起的感覺。她親切、善良、熱於助人且性格柔順。她看不慣他的唬爛屁話，也沒想過艾文會是什麼神話般的白馬王子。如艾文所說，她不會「老盯著我，告訴我需要改變的地方。」她也不像艾文念念不忘的某任女友那樣苛刻和自以為是（儘管交往時那位女友對待艾文「像垃圾一樣」，艾文被甩了之後仍憔悴不堪）。艾文和他的未婚妻能夠妥協並解決他們的分歧，他們有共同的未來目標，兩人在一起很愉快融洽，他們「接納」彼此。如果說艾文天生比她風趣搞笑，那麼她天生比他更有條理，在日常生活中沒有那麼緊繃，他們兩人相輔相成。

儘管如此，艾文表示他們倆都不是對方想像中的另一半。

「我是個堅持己見的猶太人，經常抱怨生活上的繁瑣小事，」他說：「我花太多時間在工作，但這也表示我有強烈的職業道德感。我以家庭為重，希望當個好父親；在不抱怨的時候，我很忠誠，也能為周遭帶來歡樂；我懂得自省，努力成為好人。所以我的未婚妻可能會感到難過，因為我不夠樂觀、運動能力不足、或者沒有那種隨時可以去旅行的工作（而她喜歡旅行）。她的理想型是高大、沒有那麼神經質的天主教徒，但我們都發現理想型並不能讓我們真正感到快樂。」

我告訴艾文，我也在努力不被理想型絆住，但我不知道該在什麼方面做出妥協。外貌嗎？幽默感？審美觀？以上皆是？我怎麼知道自己是太挑剔還是不夠挑剔？

「妳必須看百分比，」艾文說：「我剛和一位客戶通完電話，她問了我同樣的問題。這位女性現年三十五歲，她說她願意妥協，但我們聊得越多，她越覺得自己對於想交往的男性有個既定想法。她必須和身高超過六呎的男性在一起，而她的身高五呎五吋。所以我告訴她，約有百分之十五的男性身高超過六呎，但百分之八十的女性都想要六呎高的男性。這百分之八十裡面的大多數人不會妥協，算算看！百分之八十的女性怎麼得到百分之十五的男性呢？」

他要我自己評估看看。「寫下妳正在尋找的特質，」他說：「然後計算符合這些標準的男性百分比。」

我們在電話裡一起評估。我們將這些數字相乘，估算出我這個年齡層中，夠聰明、成熟、風趣、愛家、成功、善良、魅力（頭髮茂密、體態強健、讓我心動）、目前單身、對小孩友善、能夠情感交流、住在洛杉磯的男性比例，結果大約是當地男性人口的**百分之五**。

接著我們做了另一個計算。即使有百分之五的人符合我的理想要求，那我符合他們要求的機率又有多少？那些男性當中有多少人正在尋找一個四十一歲的女人？我可以約會的對象突然減少到百分之一左右。噢，如果我想找個和我信仰相同的人呢？根據艾文的說法，猶太教男性約佔美國總人口的百分之二，在洛杉磯約佔百分之六。我必須把這一點考慮進去，任何宗教信仰中只有區區百分之一的男性可能是合適的對象。最後計算出：百分之〇．一。

哇！我真的挑剔成這樣嗎？其他女性呢？

顯然也是。艾文說，他合作過的一些女性甚至有更具體的標準，結果計算出來的數字更小。比方說，**我是超級愛狗的人，和我在一起的男人必須也是同樣程度地愛狗**。

「坦白講，」他說：「如果有人能忍受妳的癡迷程度就很幸運了。」艾文認為，伴侶接納妳的興趣是一回事，要他們與妳有同樣的感受是另一回事。而且要求越多，合適對象的比例越低。

難怪外面好像都沒有男人。根據我的標準，沒有這樣的男人。

這些百分比可能並不精確，但卻是有意義的。鑑於我想要一位不僅聰明，而且博學多聞的人；不僅可愛，而且頭髮茂密的人；不僅年齡合適，還要看起來不超過四十二歲，一萬個願意和我約會的男人中，似乎只有一個符合標準。

「除非妳把標準放寬一點，否則很難找到合適的人，」艾文說：「妳放寬越多，就會有越多男人通過妳的篩選。」

「那要是我設一個篩選機制是有理由的呢？」我問：「總不能隨便和別人約會吧。」

「或許妳的篩選機制過於狹隘，」艾文：「妳最近和幾個男人約會過？」

我沒必要回答。我知道他是對的。不是說外面一萬個人當中只有一個適合我，而是我忽略了那些可能提高百分比的人選。

因此，在艾文婚禮剩下的五週時間裡，他打算幫助我學會放寬我的篩選機制。我們約好週一中午見面，但首先，他問我有沒有什麼約會安排？如果他要指導我，必須先替我找幾個男人。

我告訴他關於媒人溫蒂的事情，但她還沒找到新的合適對象。

「不要緊，」艾文笑了。他打算帶我進入網路約會的戰場。

少即是多的效應

老實說，我向來不擅長網路約會。我要不是根據單一標準（太喜歡龐克音樂）刪掉一群人，不然就是嘗試抱持「開放心態」，結果雙方一開始通信聯絡，我就發現自己無法對這些男人心動。到最後，我繼續尋找那些我一直在找尋的特質，卻從未找到我想與他共度一生的人。我開始懷疑，我知道自己想要什麼嗎？

在我打電話給艾文的幾週前，我先和麻省理工學院的行為經濟學家丹·艾瑞利聊過。他寫了一本書，名為《誰說人是理性的》（Predictably Irrational: The Hidden Forces That Shape Our Decisions）。我把我的情況告訴他，他說他以前都聽說過，事實上，他已經研究過了。

「認為人都知道自己要什麼的想法其實是相當可笑的，」他直接開門見山。根據艾瑞利的說法，我們不僅對於當下想要什麼感到困惑，而且在面對諸如疾病、財務問題或孩子等各種生活處境時，也沒有考慮到我們的慾望會隨著時間改變。

他說，如果我們不知道自己想要什麼，約會就會很困難，網路約會更是難上加難。畢竟，網路上的個人檔案讓妳尋找的東西看似客觀（依據個人檔案的資料），但實際上人與人的連結卻是極度主觀的。

正是這種客觀性的錯覺毀了我們。

「在見面之前，妳對潛在對象的瞭解越少越好，」艾瑞利說：「減少幻想的空間。網路約會的兩人碰面時，他們事先知道太多資訊，幾乎沒有進一步認識的空間，一旦看到對方的缺點，幻想會立即破滅。因此妳沒有給這個人一次機會，而是回家打開電腦，去找另一個在簡介上看起來不錯的人。」

我告訴艾瑞利，我在網路約會的時候，總想提前獲得大量的資訊，這樣才不會浪費我的時間。事實上，如果個人資料沒有提供足夠的資訊，我是不會回覆他們的。難道我錯了嗎？

艾瑞利說，是的：知道一個從未謀面的人太多資訊，反而讓人更難對他產生興趣。他告訴我，在一項研究中，網路約會者獲得潛在伴侶的特徵描述，就像妳在約會網站上找到的個人資訊一樣。當上述參與者獲得較多的特徵描述時，他們會察覺到這個對象和自己不太像，如果收到較少特徵資訊，他們反而會覺得對方和自己比較合得來。妳知道的特徵越多，就是得到更多資訊來排除這個人。

這就是他所謂的「少即是多的效應」：如果在個人檔案中用比較含糊不清的說詞來形容自己，會更討人喜歡。

「如果妳寫『我喜歡音樂』，而我正在看妳的個人檔案，我會立刻假設妳喜歡的音樂類型是我喜歡的那種，」他說：「但如果妳告訴我妳喜歡的特定音樂類型，那我們的興趣可能不同，對我來說也就沒那麼具吸引力了。」

網路約會的特技雜耍人

讓網路約會變得困惑混亂的，不只是過多的資訊，而是過多的選擇。妳每天在郵件信箱不是都會收到五組新的「配對」嗎？即使沒一個感興趣，難道不還是給了妳希望，期待接下來的五組配對中可能出現那位真命天子？

我注意到，紅娘網站似乎鼓勵約會者盡可能多頭並進。只要妳發送電子郵件給潛在對象，「郵件已寄出」的確認視窗會自動跳出一條訊息，「看看其他類似檔案的會員」，然後展示**更多**妳可能感興趣的對象。在第一個人接收妳的郵件之前，妳已有新的人選可以考慮。

出現這種情況時，艾瑞利說，如果人選較少，我們就不會以這種方式騙人。在一項研究中，他和他的同事從某個網路約會網站獲取資料，並觀察他們所謂的「特技雜耍人」，這些同時與十五人以上通信的網路約會者。

「這些特技雜耍人的郵件內容都寫得很差勁，」艾瑞利說：「如果你必須寫二十封電子郵件，是能寫得多好？所以，他們的收件人可能對於這些郵件沒那麼感興趣，因為草率又沒什麼內容。」

但同時，他說，因為風險很低，很難勸人別這麼做。如果只需要一封電子郵件就能讓某人留下印象，那何不與這個人還有其他十個人同時通信呢？在現實生活中，我們可能被說太過挑剔，在認識對方以前就早早將他們淘汰出局，但在網路約會的世界中，我們可能又會撒下太大的網，而無法淘汰任何人。

「當這些特技雜耍人忙著應付太多對象時，」艾瑞利說：「他們沒有把注意力放在那個真正最適合的人身上。但因為他們不知道那個人是誰，所以繼續一心多用，結果什麼人都沒有找到。」

以上便是艾瑞利追蹤這些特技雜耍人的約會成果時所出現的情況。他觀察那些交換電話號碼或安排約會的人，發現沒有一心多用的人不僅寫了更長、更有想法的電子郵件，最後還進行了真正的約會。與此同時，特技雜耍人仍坐在家裡的電腦前，繼續與多個對象通信。

好，那麼人們見面之後會發生什麼呢？艾瑞利沒有追蹤這些特定對象，但他確實發現，更普遍的情況是，由於抱持過大的期待，這些會面並沒有按預期般進行。

「但他們從不吸取教訓，」艾瑞利解釋：「每一次，他們都不會停下來思考，『我下次會有更務實的期望』，反而每次都有過度誇張的期待！」

這是因為，儘管這些個人檔案再詳細，但從基本上是目錄的介紹，還是難以判斷這個人是什麼樣。或者如他所說：「就像是看著餐盒上面的原料成分，然後想像它的味道。」

而這還是假設原料成分是正確的情況。網路上個人檔案的部分問題在於，我們未必可以完全瞭解自己，或者未必能夠在問卷上好好描述自己。我記得幾年前在 eHarmony 網站上看我的性格評估，覺得說得根本不準。是因為我在回答問題時缺乏洞察力？還是因為他們的評估無法測到我性格中細微的差別？我陷入一個非常後現代的困境：我不想和那種會根據測驗結果評估我是什麼樣的女人，才要和我約會的男人約會。我成了網路約會界的格魯喬．馬克思[1]。

艾瑞利和他同事架設了一個不同類型的線上約會網站，來避免這些問題。網站不使用個人檔案，而是用紅色正方形或綠色三角形來代表每個人，讓他們在一個虛擬空間裡移動。如果離某個人靠得比較近，你們可以開始交談，可以一起漫步畫廊，聊聊這個展覽。你們得去瞭解彼此的個性。簡單來說，就是在虛擬世界裡進行一場虛擬約會，在對彼此一無所知的情況下。

然後，艾瑞利說，這些人都必須參加現實生活中的速配活動。在這個活動裡，有些人來自艾瑞利的網站，有些人則不是。約會結束後，每位參加者都會被問到想和誰進行二次約會。結果如何？「如果是透過我們網站認識的，他們想進行第二次約會的可能性會增加一倍，」艾瑞利說。

「身高多少、頭髮什麼顏色……這些並不重要，即使很多人重視，」他解釋：「我認為約會的問題在於，我們不知道什麼對我們來說才是重要的。」

1 格魯喬．馬克思（Groucho Marx）：美國演員、電視及廣播主持人，以機智問答聞名。

M&M巧克力豆測試

我開始認為我不知道什麼對我來說是重要的，特別是當我向西北大學新婚社會心理學家伊萊．芬克爾訴說我的戀愛經歷時。我告訴他，我總是在尋找特定類型的男人，但從長遠來看，他們不一定能讓我快樂。是不是可能我並不知道自己真正想要的伴侶具備什麼特質？

「如果妳和大多數人一樣，那就是了，」他說。

芬克爾告訴我，他和同事保羅．伊斯威克做過一個實驗，看看人們要求伴侶具備的特質，是否真的是他們最後認為重要的特質。

首先，這項實驗要求單身人士描述自己對於特定性質的看重程度，從身體特徵到賺錢潛能再到熱心助人，受試者按重要性從一到九為這些特質進行評分。接著讓這群人快速約會。結束後，受試者根據他們說過自己正在尋求的特質，先對房間裡的每個人打分數，接著再根據自己對每個人的好感度打分數。如果後來繼續與其中一人約會，受試者要描述自己對於這場約會的喜歡程度。

實驗結果證明，人們陳述的偏好不能準確預測他們自己想和誰出去約會或與誰共度美好時光。

根據芬克爾的說法，「人們在問卷上說自己想要的東西，和他們遇到真實的人時實際選擇的東西，兩者缺乏相關性。」

為什麼會這樣？我們怎麼會這麼不了解自己真正想要的呢？

芬克爾拿我兒時最喜歡的糖果M&M巧克力豆來解釋。

「如果妳問別人為什麼喜歡M&M巧克力豆，」他說：「別人可能會告訴妳是因為它的糖殼外衣。但如果妳給他們其他一樣有糖殼外衣的巧克力豆，他們的喜歡程度可能不會像喜歡M&M那樣。所以，不是糖衣問題，一定是他們喜歡M&M巧克力豆的其他部分。」

換句話說，我們知道我們喜歡M&M巧克力豆，但無法解釋**為什麼**。

這個例子與約會有什麼關係？關係可大了，芬克爾認為，「人可以準確說出他們喜歡**什麼**，卻不能解釋**為什麼**。所以如果一個女人說『我喜歡這個男的』，那是千真萬確的，她被他所吸引。但如果她說是因為他會賺錢，那可能不是準確的解釋。實際原因可能是他很慷慨。」

這是我們許多人會犯的錯誤：我們的必要條件和交往地雷是「什麼」，而實際上更應該重視「為什麼」。

芬克爾的同事伊斯威克這樣向我解釋。妳可能會想，「我想認識某個當律師且過著穩定生活的人。」但實際上，妳認識某個當作曲家且過著接案生活的人也會很開心。怎麼會這樣？伊斯威克指出，這是因為妳真正想要的是一位有文化、有知識涵養的人。妳以為妳想找個律師是因為他有穩定的事業，但其實是他的**才智**吸引了妳。

伊斯威克認為「什麼」和「為什麼」參雜著另一個問題而變得更複雜，那就是：擁有過於具體的標準。他會講到這裡，是因為我提起一位在地方博物館當藝術史學家的朋友，想找個「理解」藝術領域的人。

伊斯威克笑了笑。「他可能不需要像她那樣熱衷於藝術。聽起來她真正想要的是聽明有想法的人。因此，如果這個人關心政治，喜歡看公共事務衛星有線電視網頻道，她可能也會心滿意足接受。」

難怪網路約會看起來這麼難。如果我們無法確切知道自己想要什麼，我們可能會找錯目標。

所以，根據二〇〇五年皮尤研究中心針對美國人線上約會習慣的調查，嘗試過線上約會的單身者大約有一半的人最後有進行實際約會，其中卻只有約三分之一的人建立長期的交往關係，會有這樣的結果也不令人意外。因此，如果這些人裡面只有一小部分的人步入婚姻，那麼網路約會最後結婚的機率就不大。但也不是不可能，我認識幾個人是透過網路認識而結婚的。

問題是，我該怎樣增加我的勝算呢?我指望戀愛教練艾文·馬克·凱茲來幫助我解決這個問題。

8 戀愛培訓課　第一堂：百分比

Mondays with Evan　Session One : The Percentages

進行第一次約會指導課程時，我們坐在電腦前面，我對艾文說：「你覺得如果我這樣做，就會找到讓我幸福的人嗎？」艾文要我「深入探究」一個配偶真正重要的是什麼，而我碰上了困難。

艾文前一晚先叫我註冊兩個約會網站。現在，我們正填寫我的搜尋偏好，著重於現實考量的百分比。

在理想的身高範圍類別，我想填五呎十吋到六呎高。艾文提醒我，我身高五呎二吋，而美國男性平均身高是五呎九吋左右。

他問：「身高對於長期的幸福有多重要？」有道理。我把身高降到五呎七吋。艾文進一步追問：「一個男人比妳高一顆頭還是高個兩吋有什麼關係嗎？」

他建議把範圍拉到五呎五吋，但我輸入了五呎六吋。我知道這個不重要，但其實還是很在意，我無法想像自己和一個五呎五吋高的人在一起。

「我不想和一個不會跟他結婚的人約會，」我試著解釋。

「和他們約過，妳才知道自己會和誰結婚，」他回說：「妳可能遇見一位五呎五吋高但獨特有個性的人，身高怎樣都沒差了。」

我還是寫五呎六吋，艾文皺起眉，「妳沒有正視百分比的現實面。」

「現實糟透了，」我說。

「現實並不糟，」艾文說，「沒有幻想，現實就不會是問題。」

接下來輪到選擇我理想的年齡範圍。我為自己選擇三十五歲到四十八歲而自豪。

「看吧，我可以靈活，」我說：「年齡範圍在十四歲之間。」

艾文笑了。「人總是在不重要的部分才靈活變通。在年紀比較輕的部分可以提高接受度，卻不是在真正重要的，也就是年紀比較大的部分提高接受度。與比較年輕或比較高的人約會並不是真的犧牲。把範圍拉到五十二歲怎麼樣？」

我填五十。這種情況又持續了十分鐘，我在每個類別上都盡量「提高接受度」，艾文頻頻投來懷疑的眼神。

然後我們準備開始搜尋。

我敲打鍵盤，跳出了幾十個人。我看一看，刪掉一個看似不錯、但把理想教育程度設在「不拘」的男人。換句話說，他的伴侶教育程度可能最高只有到高中。

「為什麼一個有研究生學位的人會想和只有高中學歷的人約會？」我問：「顯然他不想和同類人約會。他不想要聰明的人。」

「又或者，」艾文說：「他更願意與教育程度高的人約會，只是保持開放的心態，覺得自己可能遇到一個聰明的女子，對方選擇一條非傳統的道路，不是透過上大學取得現在的成就。我不認為他有刻意要找『一個高中畢業的人』，我想他只是按下『不拘』的按鈕。也許他單純沒有偏見，妳是在批評他沒有偏見嗎？」

我想是的。刪掉一個沒有歧視的男人，我是不是過度歧視？

我們查看另一人的簡介，這個人相當可愛、年齡適中、簡介看起來很有想法。可是當我看到他在尋找什麼樣的伴侶時，我還是比了個倒讚手勢給艾文。這人提到浪漫的鴛鴦浴、在海灘上浪漫散步、浪漫的週日早晨、這個浪漫那個浪漫的。我覺得他不適合我，一個單身媽媽沒時間去搞什麼浪漫，我尋找的是在日常家庭生活中、在美滿的家庭裡產生的那種浪漫。我需要一個能夠理解平凡育兒生活的人。

艾文笑了笑。「妳把這些描述看得太認真了啦！」他說：「他可能花了五分鐘，根據自己理想的形象來作答。只因為他沒有說『若是單親媽媽，我會幫妳在清完嘔吐物後按按按後背』，妳就不打算考慮他？如果妳都這樣分析每個人，那沒人會有資格與妳約會。」

想一想百分比，又把「浪漫先生」挪到我的「感興趣名單」，接著點開下個人的簡介。這個人對我來說不是特別迷人，但他是從事移植手術的醫生，考量到我的科學背景，他看起來挺有意思的。繼續往下看。在東岸長大，我喜歡這點，打勾；之前結過婚，打勾；有孩子，打勾；嗜好是划船、騎摩托車、旅行、運動、玩賓果和凱納斯特紙牌……哎呀！

「賓果?紙牌?」我說:「他才四十五歲,怎麼行徑像六十歲老人。凱納斯特紙牌是什麼?」

「妳就因為嗜好要拒絕人家嗎?」艾文問。

「不只是賓果。我最討厭摩托車,」我解釋:「我覺得這是完全不吸引人的次文化。而且你看,他說他『讀』有聲書,不是真的閱讀,我是一位作家耶。」

我敢說艾文肯定經歷過同樣的事。他抬起眉,露出會心一笑,等我抱怨完。

「妳太嚴格了,」艾文:「這麼注重枝微末節的小事會阻礙妳。尋找幸福關係的過程是明白我們改變不了別人,他們就是他們,所以妳必須改變自己的態度。我不是要妳和這個人約會,但他就是一個沒有被給予機會的絕佳例子。」

我搖搖頭。「賓果、摩托車、有聲書?我們合不來。」

「妳不知道兩人是否適合,」艾文說:「妳必須克服阻礙,努力做到,妳必須放下冗長的條件清單和外貌要求,與符合大部分條件的人在一起,就會很幸福。」

這時,我發現了一個正是我要找的人。

「喔！」點開一位可愛的四十歲男性，繼續看下去，他的個人簡介很有趣，搞笑風趣，工作富創造性但聽起來穩定。我喜歡他關於預期伴侶的描述，基本上和我的個性非常相似。

「只是有一個問題，」艾文開口。

「什麼問題？」這個人看起來很有希望。會有什麼問題？

「他的理想年齡範圍是二十八歲到三十五歲。他說他想要孩子。」

「我有孩子呀，」我說。

「他不是在找有孩子的人。是的話，年齡範圍會更寬。他是想找個人一起生兒育女。」

「但他如果遇到我，我們可能會喜歡彼此，個性和興趣都相似。不然我直接寄封電子郵件過去，看他會不會回覆？」

「寄是可以寄，」艾文：「但如果有一個五十五歲的人寄電子郵件過來，妳會怎麼做？妳對他來說相當於一位五十五歲的人。雖然妳只是超出年齡範圍幾歲，可是他想要小孩的話，差個幾歲就差很多。他可能不會回覆妳，不值得妳花時間，妳要做的是把注意力放在那些正在尋找像妳條件的人身上。如果他找的人不是妳，那麼他是誰並不重要。」

「這樣就排除在外似乎不太公平，」我說，即使我經常這樣刪掉別人。

「妳認為自己擁有很多長處可以破例，」艾文：「但情況並非如此，妳可能已經注意到，這是一場艱辛的作戰，比以前更難，我同意，這根本不公平。他可能會喜歡妳本人，但可能也會擔心妳年紀太大無法跟他生小孩。所以，妳可以嘗試打破規則，最終沮喪收場，或者妳可以根據實際的百分比情形，找到適合妳的良人。」

說「好」，而不是「不」

艾文點開紅娘網站上面一個叫做「反向搜尋」的功能，這些人選會符合你的搜尋條件，且同時也在尋找像你條件的人。不意外，沒有人在三十五歲到四十五歲之間，最年輕的是四十六歲。

「這是我希望妳下週執行的事情，」艾文：「我要妳從反向搜尋名單上每二十人挑一位。這只是妳今天稍早選擇符合理想特質男性中的百分之五。」

這似乎很可行，不過艾文還有一個建議：如果發現某人有一些不吸引我的地方，我應該試著接納，不去評斷對方。例如，假設有人寫了一封冗長、尷尬的電子郵件，並不表示他是呆子。也許他很緊張，或者對網路約會不熟悉，或者他很在意所以花時間發一封私人信件，而不是幾句簡短的搭訕短訊。

「找個理由說『好』，而不是『不』，」他提醒我：「是挑選進來，不是一直挑選出去。每次都問自己：如果某個有趣的男人就在妳面前，妳真的會因為幾磅、幾吋、或者個人資料中妳不喜歡的一句話就拒絕他嗎？是的話，沒關係。只是找不到合適對象就不要抱怨，因為妳在細微末節的事上淘汰了所有潛在對象。如果這些人也會因為細微末節的事淘汰別人，他們可能也不會和妳約會。」

哎呀。我以前沒有這樣想過。我太著重於我是不是對一個人感興趣，幾乎沒有考慮過對方是不是對我有興趣。於是艾文叫我寫下所有別人不想和我約會的理由，也就是未來男友和我交往就必須忍受的所有事情。

草草寫下幾件事後遞給艾文。他看了我的清單。

「就這樣？」

「什麼就這樣？」我問：「有漏掉什麼嗎？」我已經寫下我很矮、有點神經質、喜歡很多個人空間。

「呃，我不曉得，」艾文：「也許，妳是完美主義者？」

我看不出哪裡有毛病。完美主義者不好嗎？

艾文告訴我，我犯了一個典型的錯誤：我們以為自己是很好的對象，無論我們有什麼「毛病」，對潛在伴侶來說都不是問題。我們會想，**是啊，我是完美主義者，可是這代表我很認真！我們不太會想，是啊，我是完美主義者，可是這點讓我變得非常固執，難以相處。**

他繼續說，這就是為什麼很多人列出來的事情聽起來都很正面：**我太有野心（而不是我很無情）、我過於誠實（而不是我漠視他人感受）、我太愛付出（而不是我沒有安全感）、我太獨立（而不是工作狂）、我太愛分析（而不是太愛評斷）**。

「想一想，別人和妳在一起真正需要忍受的事情，」他說。我又嘗試一遍，很快想到了這些事：我過於敏感；除了義大利麵，什麼都不會煮；我有時優柔寡斷，總是讓男友抓狂；我容易感到壓力，一有壓力，不會給人什麼好臉色看；我有幾個非常討厭的習慣，比如堅持東西要放在我原來擺的地方，即便礙到別人的路；我不使用手機，因為我覺得會引發腦瘤，所以要聯繫我的話，我必須人在固定話機附近……這份清單越寫越長。

難怪我的戀愛生活一團糟：我想在一段關係中感到安全和放鬆，但如果我和一個真正和我一樣有缺點的人在一起，我會覺得不滿意，因為他與我的理想相差太遠。如果這位有缺點的人很喜歡我，我會說他表現得過於強烈，或者更糟，看起來太渴望。但與我的理想第二接近的人碰巧想和我約會，我會一直緊張，試圖表現得「活躍」和有趣，並感到不安，因為那些男人身邊總是有無數女人在爭奪他們的注意力。有缺點的男人似乎總是太過喜歡我，符合理想的男人又似乎不夠喜歡我。

我知道，要接受別人的缺點，正視自己缺點是很重要的，但突然間，看到白紙黑字的缺點，我想知道究竟為什麼有人願意和我約會。

「那很好，」艾文大笑：「所以，下次妳因為某個人不是妳的理想對象要刪掉之前，試著關注對方的優點，因為一些人也會關注妳的優點，即使他可能想要更隨和或更高的人。每次妳開始分析某個人時，想想對方為了和妳約會而刻意忽略那些缺點。我們希望別人容忍我們的喜怒無常，又希望對方從不情緒化；即使我們放任身材走樣，還是希望感覺自己有魅力，想要尋找體型結實的人。這樣不是很虛偽嗎？」

看起來確實虛偽，我希望男人接受真實的我，但不願意接受他們的真實。過去，我總是關注於和別人在一起我必須妥協什麼，卻沒有認真思考第二部分，那就是和我在一起也不是中樂透。如同大多數的女人，我的朋友們不斷告訴我，我是多麼棒的「獵物」，誰追到我誰就「幸運」，擇偶絕不能妥協。

然而，艾文指出，許多女性眼中的「妥協」，其實只是簡單的「接納」。

當然，他並不是建議我改變個性，突然變成隨波逐流的人。只是建議我必須改變一下想法，以減少我淘汰對象的篩選工具。找出妳不喜歡一個人的地方很容易，但找到妳喜歡的地方更有成效。

他跟我說了一位叫茱蒂絲．席爾斯的心理學家，寫過一本很棒的書，名為《如何找對另一半》（How to Stop Looking for Someone Perfect and Find Someone to Love）。席爾斯在書中說，每個人都是套餐，或像餐廳的藍盤特餐。沒有「替代餐點」，你必須把這些討厭的習慣和不迷人的特質與剩下的食物一併帶走，你可能不得不吃掉一個不喜歡的配菜。「如果要求某個人實現妳的美好願景，」席爾斯寫道：「就只能和幻想長相廝守了。」

這些正是艾文想告訴我的。起身離開時，他不忘提醒我的任務：從符合我的搜尋條件並且在尋找我的人中，每二十個挑選一人，發電子郵件給其中三個，下週一交換意見。

9 重點不是他，是妳

It’s Not Him, It’s You

我坐在電腦前面，試著從紅娘網站每二十個男人中挑出一位。這時友人麗莎打來問我在幹嘛，我告訴她關於艾文出的作業，建議她也嘗試一下。麗莎，三十五歲，單身，她嘆了口氣說，聽起來是個好辦法，但她已經完全厭倦網路或其他方式的約會，今晚不想談論約會的事，這樣只會讓她對於自己仍然單身感到更恐慌。

「來聊聊電腦、書籍、全球暖化、《單身毒媽》的最新劇情，什麼都好，只要別聊男人，」她說。

和兩年前差好多啊，當時麗莎三十三歲，聊的話題都與男人有關。或者更確切來說，是與一個男人有關，也就是她的男友。麗莎和雷恩交往了一年，他是一位三十三歲的律師，麗莎被他迷得神魂顛倒。他們在一起很開心，兩人對家庭有共同的目標，相處和諧，是朋友也是戀人。事實上，雷恩一直談及婚姻，只是好像哪裡不對勁。

「他就是不哄我，」麗莎在他們交往即將滿一年的時候嘟囔道：「這不是我在戀愛中習慣被對待的方式。」

那時候，我完全理解她的意思：她沒有感受到男友的**寵愛**。雖然他說他愛麗莎，但他從未說過能遇見麗莎**是世界上最幸運的事**；他說麗莎很漂亮，但沒說**是他見過最美麗的女人**；她得流感時，雷恩帶了泰諾感冒藥給她，不是莫名其妙送她花。雷恩對她一直溫柔體貼，只是不會表露情感，沒有像其他任何男朋友那樣把她捧上天。麗莎沒有這般崇拜雷恩無所謂，那是男人要做的事，他應該取悅她的，對吧？

有一天，當他們再次討論到婚姻，麗莎向男友說出了她的疑慮：「我覺得你沒有非常愛我。」

「我有啊！」他堅稱，無法理解為什麼麗莎會有這種感覺，但麗莎也解釋不上來，雖然只是感覺，卻揮之不去。每次麗莎提出這個問題，雷恩都顯得一臉困惑，而她感到受挫。然後，雷恩會嘗試各種浪漫舉動來證明自己的愛：早上在她的枕頭旁邊留下巧克力之吻，附帶一張甜蜜的紙條；中午打電話過去，只是說一聲他愛她……這些舉動令麗莎陶醉其中，但她不相信這些舉動是真心的。「我希望他是想才做這些，」她當時說：「可是現在他只是因為我要求才去做。」

儘管如此，麗莎還是試圖讓自己安心，因為就算這些舉動感覺迫於無奈，雷恩的努力還是非常貼心。但是，兩個月後，麗莎和雷恩在一場訂婚派對上，準新郎在向準新娘敬酒時說，他永遠不會像愛她那樣愛任何人。這番話引起了麗莎的思考，回家路上和雷恩坐在車裡，她問雷恩：「如果我出了什麼事，早走一步，你還會像愛我一樣愛另一個女人嗎？」

他思索半晌。「這個嘛，我對妳的愛不一樣，」雷恩回答。

「不一樣，是因為你比較愛我嗎？」麗莎問。

「不一樣是因為……不一樣，」雷恩說完，伸過去抓住她的手：「這個很重要嗎？我想和妳在一起，不是哪個假想的女人。我不想思考妳死去的事。我愛妳，遇到像我這麼愛的人很難。但是，如果我死了，我會希望妳再次墜入愛河，那不會和我們的感情一樣，但妳會繼續走下去，過好妳的生活。」

三個星期後，麗莎和他分手了。

「我希望他瘋狂迷戀著我，」兩年後的現在，麗莎說：「他覺得自己可以愛上別人這件事，對我來說，代表我並非他生命中的摯愛。我希望他能說：『我可能再婚，但我永遠不會像愛妳一樣愛她。』」

我問麗莎，如果情況對調會怎樣？如果她嫁給雷恩，但雷恩早一步先走，她覺得自己會再次墜入愛河嗎？

停頓了很久，她坦承：「會，我想至少在理智層面，我知道人一生中可以全心全意地愛上不只一個人。但在我心裡，我希望有個男人可以對我有這樣的感覺，而且只有對我有這樣的感覺。」

當時，我完全支持她。不過現在，我想起之前瀏覽約會網路的個人簡介，艾文說我抱持「不合理的期待」，我突然覺得麗莎也是如此。然而，在其他的生活領域，我們明明都是別人眼中通情達理的人。到底是怎麼回事？

平淡無奇的關係配不上她

專門研究人際關係的費城心理學家麥克·布羅德博士認為，今天許多單身女性把一種危險的特權感帶進了戀愛約會之中。他指出，期待獲得幻想中的寵愛，是某些女性在既有的不合理清單中另一項不合理的要求。

「我經常聽到『沒有這樣、那樣或怎樣的男人，我寧願一個人』，」他告訴我：「所以我說，『可以，但要做好選擇後者的準備，因為有了這種特權感，妳可能最後會是孤獨一人』。」

他說，對於這些女性而言，不僅想像中的男人是幻想，一段實際的關係也是幻想。畢竟，一段感情可以提供的東西有限，布羅德博士認為，抱持這種心態的女性是從男性能為她們提供什麼的角度，用一種什麼事都是「我」、「我」、「我」的態度，來尋找一段關係，而不是建立彼此互惠的關係。

例如，有位病人最近和他聊到她目前的男友：「我為什麼要和一個成就不如我的人在一起？我倒不如自己一個人！」

布羅德博士認為當前女性擁有更高的特權感，是上一輩女性所沒有的。我們的母親也許希望，但肯定不會期望她們的丈夫會不斷想取悅她們、受她們吸引、逗她們開心、喜歡同享所有興趣，而且是場上最有魅力的人。反之，她們明白婚姻包含生老病死、無聊乏味、壓力與格格不入，討人厭的習慣、育兒問題以及各種困難與誤解。但現代許多女性似乎在尋找一種理想化的精神契合，而不是務實的婚姻夥伴關係。

布羅德博士說：「最後這種類型的女性會認為，平淡無奇的關係配不上她。然而，去問一下婚姻幸福的女性，她們可能會說自己的婚姻相當平凡。」

那麼，「平淡無奇」在戀愛中怎麼會成為一種詛咒呢？

他配得上我嗎？

也許和我們的自尊有關。布羅德博士表示，儘管大家都說女性承受自卑之苦，但許多人過度解讀「**我很棒！**」這個「女孩力量」的訊息，以至於沒有人配得上她們。

我想到幾年前幫一位二十九歲的熟人安排約會的事情，在約會前我告訴她，對方讓我想起了她。

「他很可愛，喜歡老電影，」我說。「他和妳很像。」

於是她去赴約，但回來卻感覺受到了侮辱。

「妳怎麼能說他像我？」她問。

我不知道她是什麼意思。

「妳沒告訴我他骨瘦如柴！」她解釋。嗯，她也是。

「而且他頭髮很怪，」她說。確實，但一年前，她自己的頭髮也做了紫色挑染。我問她原本的預期是什麼？

「我猜是更有活力的人，」她說。「我的意思是，我們可以聊聊老電影，他的確很可愛，但妳說他像我的時候，我期待的是更……」她話音漸落，但我知道她想說的是

「妳覺得這個人配得上我嗎？」

嗯，沒錯，的確如此。我也認為，如果她能夠真實看待自己，而不是自以為安潔莉娜．裘莉，她可能真的會喜歡對方。他們都是可愛型、和善、令人愉快的人，只是走進房間時，外貌和個人魅力不會令人大吃一驚。他們都是普通人，**和我們大多數人一樣**。（當然，對方現在已經和一位和她很像但心態不同的人訂婚了。而她，當然還是單身。）

我和布羅德醫生聊得越多，越想知道這種高度自我涉入的心態，是不是難以找到男人的重要原因。這種高估自己的特殊性（如此獨特出眾且具吸引力）有沒有可能達到完全喪失判斷力的程度？我過去常想，**是呀，我標準高，但品味好也沒辦法**。（說到品味好，別介意，我以前選擇的男人也不是都非常出色）我們這一代女性經常被教導要保有高度自尊，但那些自我評價最高的女性在戀愛關係中似乎有自我欺騙的風險。我們對自己的評價越高，對完美的好男人越挑剔。

簡直就像對男性進行「丈夫」評分的奧林匹克評審，每個人從十分起評，有任何失誤，評審就會扣分。他不夠風趣？扣兩分。有一字眉？再扣一分。更好的約會方式難道不是從零開始，根據個人的善良和熱情等優點給分嗎？

決定是否與某人約會時，我總是在心裡實施扣分制。舉例，如果我想找一位聰明、風趣、可愛的人，但最後他是聰明、風趣、可愛的宅男，我會忘記我得到「聰明、風趣、可愛」，只看到宅男。我會專注在令人失望的方面，而不是因為發現到加分的方面而感到幸運。

這就是特權感造成的。

你們都不完美

緩和態度不僅有助於約會，也會讓婚姻更美好。這是eharmony網站的心理學家兼資深科學家吉安．岡薩加告訴我的，他在加州大學洛杉磯分校著名的「婚姻實驗室」工作時遇到了他的妻子。他針對六百對夫妻進行為期幾年的研究，著重在關係滿意度和預測婚姻成功的因素。

「幸福的已婚人士相信他們的伴侶比一般人好，儘管這在統計上是不可能的，」岡薩加解釋。「我們稱這些為『積極的幻想』。並不是說他們不抱怨自己的配偶或都沒有爭吵。而是到頭來，他們仍然認為自己的配偶比外面的大多數人還要優越。」

他說在約會中，對於許多似乎找不到合適對象的單身人士來說，情況正好相反。他們不是用積極的眼光看待約會對象，而是認為自己高人一等。這就是為什麼人們經常將關係的不足歸咎於自己伴侶。但岡薩加說，雙方都有問題。

「我們傾向被情緒穩定度、智力和能力與自己相似的人所吸引，」他說。「因此，如果自己約會的對象總是看似有缺陷，自己可能也有同樣的缺陷。如果這個人神經質，妳可能也是。要吸引妳心目中的那種人，妳必須先成為那種人。與妳約會過的男人不是都不夠好，而是人需要意識到自己也是影響結果的原因之一。」

岡薩加說，在成功的關係中，夫妻欣賞對方的優點，而不是關注對方的缺點，因為大家都有缺點。印第安那有位女士也想告訴我同樣的事情。結婚十二年的蘿拉觀察到：「我們女人喜歡把自己想像成女神，值得男人完全地崇拜和忠誠，如果他們給不了這些，我們會生氣。遺憾的是，我們也會掉毛髮在床上、有體味、皺紋、局部肥胖和差勁態度。我們無法容忍男人有這樣的缺點，卻希望男人忽略我們這樣的缺點。」

我必須聊聊《慾望城市》

我懂、我懂，談論《慾望城市》已經變成一種老梗，我幾乎不太想提起。可我忍不住想聊，因為這似乎與上述提及的特權心態有關。

一方面，當這部由大獲好評的影集改編的同名電影在美國票房賺得將近兩億美元時，媒體特別大肆宣傳，因為這表示觀眾願意花錢在大銀幕上看到女強人。但我認為這也說明了另外一件事：我們似乎無法分辨「堅強」和「以自我為中心」的差別。

假如妳是少數錯過了這部電影的單身女性，片中莎曼珊會告訴那位她在罹患乳癌期間一直給予支持陪伴的優秀男友，她要離開他，因為「我愛你，但我更愛我自己」，這句台詞甚至讓全場觀眾歡呼！

現在，這裡有位忠誠、熱情、容忍她各種要求、並陪她走過癌症的男朋友，但她決定離開他，因為她愛上了自己。這應該是賦權嗎？性別對調過來（換作是她陪伴男友經歷前列腺癌的折磨，結果他拍拍屁股走人！）我敢打賭所有觀眾會噓聲連連，罵這傢伙是十足的渾蛋。

莎曼珊並非片中唯一具有強烈特權感的角色。凱莉是恐怖的新娘哥吉拉，未婚夫表示他很樂意和她在市政廳登記結婚時，她勃然大怒。他說因為他關心的不是婚禮那天，而是每天和她在一起。

那她後來怎麼做？凱莉與她同樣只愛自己的朋友們去墨西哥度蜜月和……妳猜怎樣？抱怨男人。她的婚禮沒有按計畫進行，現在她自己蜜月，身邊沒有心愛的未婚夫。這是「堅強」還是「被寵壞」？

電視劇影集也沒有不同。每個星期，劇中角色都會剖析不同的男人。他們沒有不完美的餘地，如果這個男人不覺得自己的女朋友是完美的，那麼很明顯，她應該甩了他。

「如果你沒有全心愛上我，也沒有為我瘋狂，」凱莉曾對大人物說：「如果你不認為我是你一生中見過最美麗的女人，那麼我想我應該離開。」

任何理性的成人都知道，在地球上，很少男人認為和他們在一起的女人是他們一生中見過最美麗的人，反之亦然。但如同慾望城市的姊妹淘，許多女人希望男人對她們大獻殷勤，把她們當成女王。這正是為什麼這些迷人的女主角們似乎什麼都有，唯獨沒有男人。她們對待愛情像十六歲的高中生，忘記十六歲的女孩子還沒準備好面對真實生活的婚姻。

「妳真的認為外面像凱莉這樣的女人很多嗎？」我朋友伊莉莎白這樣問我，她是住在北卡羅萊納州的三十一歲單身編輯。我還沒回答，她繼續描述一位會寫貼心短信給她的男人，她因為對方的文字有點愛上了他。

「他認真傾聽我每天的困難麻煩，並關心我生活的大小事情，我發現大多數男人都不擅長這樣，」她說。「而且他回覆所有電子郵件和短信都迅速且妙語如珠，他還會為我們尋找很酷的音樂表演。他告訴我，我就是他要找的人，哪個女孩不想聽到這些？」

「但是，」她繼續說道：「與此同時，他和我在一起似乎有點尷尬，他的房間裡貼滿柏油腳跟隊的東西。看起來很幼稚，很像高中男孩的房間，只是沒有美女海報，感覺像是體育版，全是柏油腳跟隊。他不去健行，不會外語，這些都不符合我心目中的理想男性。我是那種女孩嗎？」

不予考慮的理由

也許我們很多人都是那種女孩。我朋友馬克是一位離異的爸爸，他發給我一封電子郵件，內容是他與網路上認識、從未結過婚的女子梅蘭妮的對話。他們似乎一拍即合，所以兩人打算見面。

梅蘭妮

寄件者：〈梅蘭妮〉
收件者：〈馬克〉
日期：2008 年 6 月 13 日 星期五 下午 14:21
主旨：Re: 確認時間

馬克，明天星期六上午十一點如何？

* * *

馬克

寄件者：〈馬克〉
收件者：〈梅蘭妮〉
日期：2008 年 6 月 13 日 星期五 下午 23:30
主旨：Re: 確認時間

時間我可以。在 *Aroma* 前面碰頭？

* * *

梅蘭妮

寄件者：〈梅蘭妮〉
收件者：〈馬克〉
日期：2008 年 6 月 14 日 星期六 上午 07:36
主旨：Re: 確認時間

我已經沒心思了。你可以走了。

* * *

馬克

寄件者：〈馬克〉
收件者：〈梅蘭妮〉
日期：2008 年 6 月 14 日 星期六 上午 07:43
主旨：Re: 確認時間

認真？發生什麼事了？

* * *

梅蘭妮

寄件者：〈梅蘭妮〉
收件者：〈馬克〉
日期：2008 年 6 月 14 日 星期六 上午 07:58
主旨：Re: 確認時間

幾乎快到第二天才收到你的消息，

表示我不是你的優先考慮對象……

我不能接受這樣。

* * *

馬克

寄件者：〈馬克〉
收件者：〈梅蘭妮〉
日期：2008年6月14日 星期六 上午08:10
主旨：Re: 確認時間

好吧，我想這將給我一個「沒有黑莓機」和「昨天從中午到深夜都不在電腦前面」的教訓，我去參加兒子的大學畢業典禮，然後和他在爾灣共進晚餐。如果幾個小時內沒有回覆某人的郵件，可能不是因為不在電腦旁、遇到意外、去別的地方、參加重要的活動等等……唯一可能的原因，只能是你沒有把發送電子郵件的人放在優先考慮位置。好吧，感謝妳如此草率下了這樣的結論。

* * *

梅蘭妮

（沒有回應）

我問馬克後來有沒有再收到梅蘭妮的消息。「幾天後，」他說：「她道歉了，說她壓力很大，也許是反應過度了，但還是不想見面。」

根據梅蘭妮的電子郵件，「見面的動力消失了。」

馬克說，這種以自我為中心的心態很普遍。「還有一位和我約會沒小孩的女子，她對我下了最後通牒，」他說。「說我要嘛接受子女的邀約去他們家享用逾越節家宴，要嘛和她以及她的親戚共渡逾越節。但如果我接受孩子們的邀約，那就不必和她繼續交往了。」

他做了什麼決定？

「妳要是知道我已經和她分手了，肯定大吃一驚，」他淡淡地說。

我問其他女性對於馬克與梅蘭妮的電子郵件往來，和馬可前女友的最後通牒有何看法，回答出現了「愚蠢」、「死板」和「自私」等字眼。

即使如此，我們也不得不承認，用某種扭曲的思維來看，是可以理解為什麼這些女人會覺得受騙上當，畢竟夢中情人不會讓女人在螢幕前面等待九個小時；夢中情人會希望和他的愛人渡假，而不是其他人。（當然，若女人把自己孩子放在比男友更重要的位置，不會有任何問題，且如果男方提出其他要求，別人會認為他自私。）

問題是夢中情人並不存在（正是因為夢中情人是我們想像出來的），即使存在，他會是我們真正想在一起的人嗎？一個除了我們之外沒有其他生活可言的男人？一個不和自己孩子共渡假期的男人？

當然不是。但想像一下梅蘭妮和逾越節小姐（Passover Chick，後來給她的稱呼）會怎麼和她們的女性友人談起必須甩掉馬克的原因。

「真是個混球，」她們可能會這樣說，旁邊的朋友們點點頭，喝著酒，又是一個酒吧姊妹淘之夜，繼續在那裡尋找合格的男人。

是，他和她在一起

梅蘭妮的例子可能看似極端，但我們許多人約會時都帶有這種特權感，甚至渾然不知。某位結婚五年的女人告訴我一個有趣的故事。

丹妮兒單身時，參加一個已婚朋友的晚宴。她旁邊坐著一位非常聊得來的男士，結果得知他右邊女子是他的未婚妻。這名女子沒有丹妮兒那樣迷人、嫵媚和風趣。（我相信這點，丹妮兒非常迷人、有魅力而且風趣）在所有人都離開以後，丹妮兒和辦派對的朋友出去逛逛，並抱怨她已經厭倦遇到的男人都已經名草有主了。她不明白為什麼其他女人最後都嫁給了好男人，而自己仍然隻身一人。

「她有什麼我沒有的？」丹妮兒問，指那位與她感興趣的男人訂婚的女子。她朋友毫不猶豫回答：「兩件事。一是體恤，二是他的愛。」她朋友說，體恤是愛情的源泉。

多年來朋友已經看過丹妮兒對各種男人心動，就像那天晚上看似不錯的鄰座客人，但一個月或一年後又會發現對方有「毛病」。這番話給丹妮兒一記當頭棒喝，她馬上意識到如果繼續評斷潛在伴侶，總是關注他們的不足之處，到最後會孤獨終老。最後，她與下一任男友結婚。

「在那次談話以後，我看待下一段感情的態度完全不同了，」她告訴我。「我專注於欣賞我喜歡他的部分，並體恤我認為有毛病的地方。我才發現我過去沒有欣賞過我的男朋友。」

丹妮兒坦承，她沒有察覺到她的特權感怎麼影響她的感情。「我過去會想，得不到我想要的就和對方分手。後來遇到我丈夫，我注意到如果繼續抱持『期待他付出什麼』的心態，而不是去欣賞他這個人，那我就是在自我毀滅。我下定決心，欣然接受他為這段關係所做的一切，而不是抱怨他沒有做到什麼。而且我發現，如果沒有給予回報，我就沒有權利抱怨什麼！有天他對我說，『我喜歡浪漫，但我不知道為什麼在這段關係中我必須全權負責製造浪漫』，我意識到我期望所有浪漫都由他帶來，但如果是雙方都有付出，也許會更好，妳知道嗎？」

正如布羅德博士解釋的那樣，在約會中，我們經常期待從男人那裡得到更多：不斷的讚美、渡假、用餐、全天候的情感支持、浪漫的舉動……而在這些方面沒有達到我們標準的男人會無故遭到拋棄。

有位我採訪過的女士和男友分手，因為她覺得男友每天打來的電話和報平安的次數不夠。雖然說他是醫生，本來就很難抽身打電話，但她仍然想要一個「更有空」的人。好笑的是，她居然認為問題是對方需要改變，她從來沒有想過自己可能需要變得更善解人意一點。她從來沒有想過，如果她在這段關係中做出一點改變，實際上可能會更快樂，並更成熟。

蒙大拿一位男士理髮師告訴我，這種心態讓男人反感。「我有一大堆符合條件的男性客戶，」他說：「但許多人告訴我，他們幾乎已經放棄約會。他們說，現代美國女性除了根深蒂固地渴望男人成為她的全部之外，沒有為這段關係帶來任何貢獻，除非出現了更好的選擇。」

或者，如同亞特蘭大的二十九歲單身牙醫所說：「女人總是在問『好男人都去哪兒？』而我會說，『妳眼睛長在頭頂上，所以看不到他們。』」

我想起多年來我和單身朋友的所有對話，都是關於好男人不夠多的話題。但我現在開始發現一些不錯的人。也許好男人很多，只是我們以過高的期待將他們拒之門外。

也許我們需要克服自己的心態。

這是說來慚愧的認知，但我知道這是對的，我需要克服自己，我似乎也患有這種現代弊病。顯而易見，如果我想遇見某個人，就必須停止對那些人的抱怨，轉而專注於做出更好的選擇。

但是怎麼做？

『 完美是好的敵人 ————伏爾泰（*Voltaire*）』

PART 3

做出明智選擇

Making Smarter Choices

10 不要挑三揀四，要幸福

Don't Be Picky, Be Happy

以下兩則是讀者向《石板》雜誌（Slate Magazine）諮詢專欄提出的真實問題：

親愛的智者普洛迪絲：

我現在進退兩難。我和目前男友已經交往兩年多。有一陣子，我想我應該嫁給他了……，他聰明、有抱負、善良，而且我們不太會吵架或爭執。但他有些個性讓我覺得兩人不是天生一對。我最近搬來和他住，帶上我的全部家當，還有兩隻狗和兩隻貓。我愛他，但我覺得和我一直渴望的童話故事般的愛情相差甚遠。我想我需要知道，到底有沒有童話般的愛情故事？我知道他會一直愛我、照顧我，但這樣就夠了嗎？如果答應嫁給他，我該這樣將就在一起嗎？我的上一段感情談了很久（五年），我知道我們永遠不會結婚。我只是不想再多浪費五年時間和另一個男人在一起，到最後卻發現兩人不是命中注定。你覺得我該和他談談嗎？

疑惑的人

***

致疑惑者：

和他談要談什麼？「你能不能像白馬王子那樣？」除非妳有具體的想法，知道他能做些什麼幫助妳實現妳的美夢，比如每週五送花或在妳枕頭上放首詩，否則普迪不會建議妳和他分享妳對童話般愛情的渴望。妳提到他的特質：聰明、有抱負、善良、鮮少爭執，這些特質對一票女人來說肯定是白馬王子。我說親愛的，妳搬進來時，他連妳的寵物都欣然接納呢！至於妳的問題，到底有沒有童話般的愛情故事？普迪認為有，事實上還曾有過一段。唉，遺憾的是無法持久。童話之於愛情故事，猶如煙火之於夜空。稍縱即逝……雖然短暫激動人心，但不是人們建立生活的基礎。

走過人生百態的普迪

***

嗨，智者普洛迪絲：

結束八年婚姻之後，我花了一些時間獨處，後來又和一些男人約會，他們表面上看起來很優秀（學歷高、在書籍、音樂、藝術方面有相似品味），但本人卻舉止粗魯、不善社交、或極度無趣。現在終於出現一位（很可能是）真命天子，我們已經交往將近一年，他很善良、懂得欣賞、善於傾聽，也是很棒的情人。我唯一揮之不去的疑慮是，與他交往時，我懷念與前任在一起所享受的那種思想交流。這位（很可能是）真命天子雖然願意陪我逛我感興趣的博物館、看我喜歡的表演，但顯然，我不能期望他對這些體驗有任何新的見解，我永遠需要成為找出新見解的人。我愛我的新男友，不想低估他許多超棒的特質，但隨著我們交往即將邁入一年大關，我確實擔心我會在一段無法激發我才智的關係中變得焦躁不安。我是不是過於專注小小的赤字？還是這個問題是遲早會發生的麻煩？

一直糾結的人

***

致一直糾結的人：

如果妳是說妳遇到一位善良、懂得欣賞、善於傾聽、傑出的文化評論家，但在床上一無是處的男人，我會有不同的答案。顯然，妳和前夫可以討論湯姆．史塔佩的最新作品，但即使聊到三更半夜仍阻擋不了妳們的關係日益惡化。妳沒有說妳的新男友不夠聰明，只是說他對妳的藝術追求不感興趣。那又怎樣？如果妳想要討論戲劇或博物館展覽，可以邀請另一對夫妻在晚餐過後大聊特聊，或者找個和妳一樣熱衷的朋友一起去看演出。搞不好妳的男友會寫信給我，說妳和他在各方面都很合得來，但他前幾任都是滑雪高手或資深觀鳥人士，他想知道從長遠來看，他會不會後悔與一位在這方面技能永遠達不到他們水準的人定下來。妳聽了難道不會想說「別因為滑雪而拋棄我們所擁有的！」但如果妳想重新開始尋找那個迄今尚未找到、在各個方面都適合妳的人，其他看來似乎不太挑剔的女人很快就會發現這位（很可能是）真命天子相當完美。

普迪

根據社會科學家貝瑞·史瓦茲的說法，世界上有兩種人：極大化者和滿足化者，上述兩個諮詢建議的女人似乎是典型的極大化者。事實上，她們與許多單身女性很像，包括我。

這不是一件好事，尤其是在交往約會的時候。

在他極具啟發性的著作《只想買條牛仔褲：選擇的弔詭》（The Paradox of Choice: Why More Is Less）中，史瓦茲解釋了極大化者和滿足化者的區別：假設你想買件新毛衣，你決定這件毛衣穿起來得合身、時尚、不刺癢、顏色漂亮，而且在預算價格內，甚至還能與特定服裝搭配。滿足化者走進一兩家店，找到一件符合這些標準的毛衣，然後買下來。

大功告成。

但另一邊，極大化者走進一家店，挑選了一件符合所有標準的毛衣，然後想，**這件毛衣很好，但也許我應該再去街上那家可愛的店逛看看，也許能找到更喜歡的毛衣，也許還能找到打折的毛衣**。所以極大化者會先把這件漂亮的毛衣藏在最底下（這樣就不會有人買走），然後去另一家（或另外五家）店看看。現在，你可能認為極大化者最後會得到一件更好的毛衣，畢竟，她看過更多的可能性，但情況未必如此。

滿足化者雖然不追求絕對最好的東西，但她的確也有很高的標準。差別在於，滿足化者找到合乎高標準的東西就會停下來。滿足化者想要一些時尚的東西，並且找到了，所以她不會想能不能在其他商店找到**更**時髦的；她想要的東西在自己的價格範圍內，並且找到了，所以她不會去想能不能在其他商店找到**更**划算的；她想要一件合身的衣服，並且找到了，所以她不會去想能不能在另一家精品店找到**更**合身的。

反過來看，極大化者則是會再花三個小時或三天的時間來尋找完美的毛衣，即使她可能找不到更好的，只能回頭去買她藏在展示台那堆毛衣底下的那件。（如果還在的話。到時可能早不見了，已經被滿足化者買走了！）

但假設極大化者確實找到了一件更可愛的毛衣，或者稍微便宜一點的，她對自己買的東西會比滿足化者更滿意嗎？

史瓦茲說，可能不會。這是因為滿足化者會對好的東西感到滿意，而極大化者只會對最好的東西感到滿意。因為你永遠無法確定你得到的東西是最好的，你無法翻遍整個城市的每件毛衣，新的款式下週就會出現在店家的櫥窗裡，而你可能會更喜歡其中一款……整個過程充滿了焦慮。

同時，想想看做這個購買決策所浪費的時間和精力，只為多那個百分之五的可愛度或便宜個十塊美元，從長遠來看，這些都不重要。不用傷腦筋那麼久，你也能獲得溫暖且時尚的毛衣，甚至可能獲得一些讚美。

但現在，由於你已經花很多精力去尋找完美無瑕的毛衣，所以選擇**合適不錯**的毛衣變得風險更大。就像女人常講的：「我已經等待真命天子那麼久，我不想現在定下來。」你等待時間越長，找得越多次，這件毛衣（或這個人）會必須是「更好的」。因為你不想歷經千辛萬苦，最後卻只找到一件「不錯」的毛衣、或者「不錯」的男人，就像幾年前你本來可以擁有和享受的。由此更加說明，第一時間買下一件足夠可愛的毛衣、選擇一個不錯的男人才是明智之舉。

但男人可以拿毛衣來比喻嗎？

好，一件毛衣顯然與一段關係不同，但無論是關於一件毛衣還是一位感情伴侶，滿足化者在生活中往往比極大化者更快樂。滿足化者知道自己什麼時候找到了想要的人，即使這個人並不完美。極大化者要不就是一直尋找更好的人，然後都沒有選到任何人，不然就是選擇了一個人，卻總是懷疑她們是否該定下來。她們不明白，沒有得到我們百分之百想要的，不僅是「可以接受」的事情，而且是很正常的事。

我致電史瓦摩爾學院貝瑞・史瓦茲教授時，他這樣解釋極大化者的困境：「你會不斷觀察有沒有更好的，而觀察得越多，你對自己伴侶或潛在伴侶的感覺就會越差，儘管整體而言他可能和你在尋找的人一樣好。」

就像那些寫信給《石板》雜誌諮詢專欄的女性一樣，這就是為什麼極大化者可以和一個人交往多年後，仍然不知道自己是否想嫁給對方。她說她需要「確定」。但史瓦茲說，她並不是「不確定」自己對這個人的感覺，而是她不確定是否會有更好的人出現。畢竟，再過一年（交往兩年後），真的能讓她瞭解到一些關於男友的重要資訊、一些他一直隱藏著未被挖掘的特質嗎？還是她會像前一年一樣，在矛盾的狀態中渡過這一年？

極大化者不會去想「**我快樂嗎？**」，只想知道「**這是我能得到最好的嗎？**」他們會經歷史瓦茲所謂在**決策預期中的後悔**。正如他在書中所說：「想像一下，如果發現有更好的選擇，你的感覺會怎樣？這種想像可能會讓你陷入不確定的泥淖。」

丈夫退貨政策

有些人面對購買後可能後悔的恐懼，抱持著騎牆觀望的態度：在決定給予完整地承諾之前，先同居看看；因為有退貨政策，他們可以先買下大家認為不錯的毛衣。他們可能會說，同居能更好地瞭解兩人長期相處的融洽程度。他們甚至會說，因為非常重視成功的婚姻，所以會想方設法確保這段婚姻是適合的。但同居就能讓人瞭解婚姻嗎？

美國疾病管制暨預防中心的統計指出，婚前同居的離婚率比婚前未同居的高出百分之十二。根據康乃爾大學社會學家丹尼爾．李克特二〇〇八年十一月發表的一項研究顯示，與一名以上男友同居過的女性離婚率，是沒有未同居女性的兩倍。

到底怎麼回事？

史瓦茲有幾個理論。他認為，把同居當作「試婚」的人可能易成為極大化者，她們想確保自己得到「最好的」，但永遠不會真的滿意。此外，這種「如果不順利，我們就搬出去」的退貨政策心態，可能讓人在結婚後更不滿意。他告訴我，他書中引用的一項研究發現，人對於不可退貨的物品比可退貨的物品更滿意。

「幾乎每個人都願意在允許退貨的商店購買，而不是拒絕退貨的商店，」他在《選擇的弔詭》一書中寫道：「我們沒有意識到，允許改變主意的選擇本身，似乎會增加我們改變主意的機會。當我們可以改變關於決策的看法時，我們對決策的滿意度就會降低。」

根據史瓦茲的說法，如果「這是最終決策」，比方說是結婚而不是同居，「我們會經歷多種不同的心理過程，這些過程會強化我們對自己選擇的認同，而不是對其他選項的認同。」

換句話說，花在猶豫不決的時間越長（以為任何人都可以退貨再換下一個）越可能把注意力放在他的缺點上面，然後沒有人可以符合標準。有一位男性可能看起來很優秀，但拿他與另一位更聰明但較被動的男性相比，兩個選擇都顯得不那麼吸引人了。第一位男性似乎不是那麼聰明，第二位男性又似乎不那麼積極主動。在「相當不錯」和「完全不合適」之間做選擇很容易，在兩個都相當不錯的商品之間做選擇會令人發瘋。相當不錯的商品放在一起比較，可能兩者都顯得平庸普通。

正如史瓦茲所說：「我們的解讀能力會把優秀的事物變成平庸的事物。」

每位「八分」男都會隨時間變成「六分」男

所以再來看看我在本書開頭提到的那位女性，寫信跟我說她並不是想找到完美的十分伴侶，八分就可以。事實上，她已經和一位八分男在約會了。記得她的難題：**如果我想要的是一個特別的八分伴侶呢？**她知道她需要妥協，但在內心深處，她還是想知道有沒有一位「更好的人」能讓她為此妥協。也許她可以。「務實一點」和「與錯的人在一起」之間當然有區別，但也可能她的選擇太多，開始讓「相當不錯」的選擇變得不那麼吸引人。

或者，史瓦茲告訴我，還有另一種可能，也許她被一種叫做「適應」的心理過程所困住了。「我們習慣了一些事情，」史瓦茲說：「然後就會認為這些事情理所當然。」有點像你在大熱天走進一間有空調的房間，覺得空調是全世界最棒的東西，但一個小時後便忘記了空調的存在。因為你習慣以後，它就不再那麼美好了，以前是十分，現在只有五分。

同樣道理，對於想要一位特別的八分伴侶的女人來說，她的八分現在可能變成六分。「任何新人都會暫時看起來比較好，」史瓦茲說：「她必須記住，八分男都會隨著時間變成六分男，妳可以拿六分換成八分，但那個八分男最後還是會變成六分男，屆時妳也會用他換另一個八分男。」然而，如果八分男的新奇感會變成六分男的舒適感完全在妳預期之內，那麼妳就不會失望。而且接受妳早晚會適應妳選擇的任何人這個事實，選擇「最好的」而非「相當不錯的」似乎也顯得不那麼重要了。

史瓦茲的重點是，滿足化者最後不會得到一件品質不佳的毛衣，也不會挑選一位並不優秀的人。他們會快樂是因為明白剛剛好就足夠了。他們意識到生活沒有什麼是完美的，舉凡工作、朋友、毛衣、配偶都不完美，所以挑選一個現有的好選擇並欣賞它是有道理的。

有害的極大化者

說句公道話，單身男人也可能是極大化者。誰沒認識過那種經常和一大票看起來很棒的女人約會，卻不肯對任何人承諾的那種男人呢？不過，史瓦茲說，問題不在於這些男人本身，問題在於許多女人浪費時間去追求這些男人，忽略了能讓她們幸福的滿足化者。通常極大化女性和極大化男性約會，結果是發現對方的不足或讓對方發現自己的不足。兩個挑剔的人不可能成為一對好伴侶。

這也是為什麼我們常常會有一種錯覺，以為只要等待夠久，就會遇到真命天子。其背後邏輯是留到後面的人會「更好」，因為他們很挑剔（畢竟，到目前為止沒有人足夠好）。實際上恰好相反，那些在年紀輕時結婚的人，知道怎麼妥協、協商和維持婚姻，比起那些覺得找不到好對象的人所提的要求還要低。他們往往是更好的伴侶和父母，與這種人共同生活五十年可能會更加愉快。因此，我們不僅要尋找一位滿足化者，自己也要成為滿足化者。

「人們常常認為他們必須在兩種特質之間做出選擇，比如外貌和智力，」史瓦茲告訴我。「但你可能是對兩種特質都達到可接受程度的人才會感到滿意。」換句話說，沒有人要求你在外貌三分智力八分的人和外貌八分智力三分的人之間做出選擇。大多時候，我們會遇到一個可能外貌六分、智力七分，但生活方式和個性八分的人，各種特質都不極端，整體而言是相當有吸引力的人。

但極大化者會認為這是將就，他們希望所有特質都達到八分。滿足化者則認為這是好交易。諷刺的是，多年後，極大化者看著那些有丈夫、有家庭、對生活感到滿足的滿足化者，然後說：「我希望我有她擁有的一切。」事實上，幸福就在眼前，只是極大化者自己放掉罷了。

畢竟，滿足並不是勉強接受一個不具備你所追求特質的人。重要的是找到一個剛剛好的人，而不是**什麼都好**的人。

婚姻：猜謎遊戲

我詢問馬里蘭大學人口學家史蒂夫．馬汀，為什麼每個年齡層的單身女性數量都在上升，他說他沒有相關數據，但他有一套個人理論。他認為許多女性是這樣看待婚姻的：

假設妳一生會有二十段感情。在每段關係中妳都試圖判斷，比方說，第三位男性是否可能比接下來的十七位男性更好？有些女性或許會選擇第三位，但總想知道第四位到第二十位是否更合適。有些人可能會放棄第三位，最後和第二十位在一起，但會花很多時間去思考放棄第三位男性是不是一大錯誤。其他人乾脆不再接受邀約，最後孤獨終老。這就是選擇的問題：如果什麼都不選，最後什麼都沒有。

「我認為人們都懷著許多留戀傷感與遺憾的情緒。」他說。

對我而言確實如此。以往過度糾結揣測並沒有幫助我做出更好的約會選擇，未來也不會，畢竟另一家商店總是會有別件更漂亮又保暖的毛衣。只有一件事是肯定的，那就是我不想在永無止境尋找完美伴侶的過程中被凍死。

11 戀愛培訓課 第二堂：錯誤假設

Mondays with Evan Session Two : The Wrong Assumptions

「妳需要克服妳的噁心感，」下個週一，艾文過來進行我們的約會指導課程時說。他想知道為什麼我無法從電腦為我配對的人選裡面每二十人挑出一位。為什麼？我們都很納悶，為什麼我這麼難放下我的極大化傾向。

部分原因是我所面臨的現實：我的對象已經和以往不同了。我不顧艾文的建議，仍發電子郵件給上次課堂提到的那位四十歲可愛男性，他的期望年齡上限是三十五歲。而正如艾文預測的那樣，他沒有回覆。

我告訴艾文，為了進行社會（且不說自虐）實驗，上週某天，我把自己的年齡改成三十一歲，得到了幾封感興趣的男性的回覆。但當我說出自己的真實年齡（四十一歲）時，最有希望的男性是五十三歲的前體育老師，他的理想渡假是去拉斯維加斯賭博，但他很有幽默感，也喜歡孩子。除了年齡之外，我的資料沒有任何不同之處：照片、文章、甚至我有一名孩子的事情都一樣！我想成為滿足化者，但我發現在四十一歲得到的配對人選很難讓人感到滿意。

「當然會更難，」艾文說。「可是這樣想想：妳的市值或許比十年前低，但相較之下也會比十年後高很多。所以我希望妳先持保留意見。因為我不想妳到五十一歲了還要跟妳講一樣的話，然後不明白為何四十一歲時妳會拒絕這些可以找到的對象。」

其實那個錯誤我已經犯過一次。幾天前，我發電子郵件給一位四十歲、愛好潛水的可愛律師，他的個人資料很棒。他回覆郵件時，我很興奮，直到我打開那封信……他提醒我，五年前他在網上找到我，寄了一封信給我，我們透過電子郵件往來多次，然後通了一次電話，他認為一切進展得很順利。但他在電話結束前約我出去時，我卻嘴裡咕噥著說什麼覺得兩人不合適的尷尬話。

看著他的電子郵件，我對這件事依稀有點印象，但不明白為什麼我會不想見他。可能是荒謬的理由，比如，我沒有立即感覺到「通電話的化學反應」，認為出去約會是浪費時間。現在他是我網上見過最感興趣的人，但他卻不願意恢復聯絡，這次輪到他說：「不了，謝謝。」

所以我知道艾文說得沒錯，再過陣子，我會後悔沒有考慮現在我可以選擇的男人。儘管如此我還是覺得，收到那些年紀大到我足以當他們女兒的人的電子郵件，是一種侮辱。

「為什麼是侮辱？」艾文問。「假設妳是哈佛大學，每年收到兩萬五千份申請書，有些申請人的GPA低或SAT成績差，但哈佛不會因此覺得被羞辱。他們只是發個信，說『感謝你的申請』，不會對不合格的申請人生氣。但妳和哈佛最重要的區別是，哈佛每年錄取率有百分之九，妳連百分之九都沒有，妳只接受百分之二的申請者。」

這是真的。看過五十位配對人選，我只寄了郵件給其中一位，就是上次課程中我認為他可能「太浪漫了」但還是「列入感興趣名單」的那個人。我們通過幾封電子郵件，然後他就消失了。浪漫故事到此為止。

「我們來看看妳的配對人選，」艾文說。「我有把握可以讓妳再對幾個人感興趣。」

噁心感

很明顯，我容易心生反感。艾文點開的第一個人，就被我刪掉，因為他最喜歡的電影是《電子情書》。

「哪種男人會把梅格・萊恩主演的愛情片列為自己此生最愛的電影？」我問。「而且還不僅是他喜歡的眾多電影之一，是他的最愛。」

「每次妳妄加評斷的時候，我都要給妳來點震撼教育，」艾文說。「再說，我喜歡那部電影。」

「你不是吧！」簡直難以置信。像艾文這麼玩世不恭的人？

「我喜歡啊！」艾文說。「事實上，這是我最喜歡的浪漫喜劇之一。這樣我沒有資格約會了嗎？」

「不是，但那是例外。你的品味不差，我知道你還喜歡什麼電影。你不是那種喜歡《電子情書》類型的人。」

「那妳怎麼知道這個人跟我不像？」

呃……，我不知道。無法反駁，我把這位「愛情片先生」加進了感興趣名單。

「喔，還有件事，」艾文說。「剛剛我是開玩笑的，我只是要表達觀點。」

我想殺了他。「所以你不喜歡《電子情書》？」

「從來沒看過。」

「我恨你。」

「對，但讓妳思考了不是嗎？」艾文問。

「我還是恨你。」

艾文露過勝利的笑容。「這只是善盡我的本分，親愛的。妳不能因為電影品味不同就拒絕考慮對方，那不等於妳所想的那樣。也許他以為這樣寫會讓女性印象深刻，讓人覺得他是多情感性的男子，或者他覺得梅格．萊恩很性感。誰知道呢？妳需要停止做出錯誤假設。」

只是個人簡介，並非生平故事

艾文告訴我問題出在哪裡：我會根據一、兩則訊息憑空想象這些人的整個生活經歷。如果是名校出身，我會以為他見多識廣，但未必正確。如果喜歡庸俗電影，我會以為他對所有東西的品味都很差，或者我們的氣質完全不同，同樣是未必正確。如果一個人不會拼字，我會以為他不聰明，儘管我朋友喬伊與一位非常聰明但不善拼字的人結婚。事實上，她是在紅娘網站上認識戴夫的，但戴夫在發布個人簡介之前曾請作家朋友校稿，以確認內容沒有錯字。喬伊認識戴夫後，才知道他根本不會拼字，但那時候她也已知道戴夫有多聰明。

「我差點錯過了遇見我丈夫的機會，要是當時看到他的個人簡介錯字百出，我就不會回覆他的電子郵件了，」喬伊告訴我。「此外，優秀的拼字好手和優秀的男朋友沒有關連。我以前約會過的拼字好手都有點焦慮，他們最後沒有一個成為優秀的男朋友。」

這正是為什麼艾文說假設很危險。「拼字能力差並不代表這個人就是差勁的丈夫，」

他說。「聰明有很多種。」我知道他是對的。我的意思是，如果愛因斯坦時代有線上約會網站，那他的文章會是什麼樣子？我想到了朋友們聰明絕頂又能幹的丈夫，我不知道他們會不會拼字。

艾文建議，如果我想找到更多時髦的文青，個人資料寫得妙趣橫生，拼字也正確無誤，可以去Nerve.com網站看看，但這裡偏向年輕族群，可能不注重關係。他說紅娘網站對我來說是不錯的選擇，因為那就像大型商場，一應俱全，如果說Nerve網站宛如時尚精品店，紅娘網站則是包羅萬象，從麥當勞到布魯明岱爾精品百貨都有。

「這傢伙怎麼樣？」艾文點開另一個人的簡介資料問道。

「不好看，」我說。

「真的嗎？他的笑容很好看。」

我笑了。「這就像是說『他有一張嘴巴』，你認識誰的笑容不好看的嗎？每個人都有好看的笑容，除非門牙掉了。」

「他哪裡不好看？」

再看一眼，他沒有什麼不好看的地方，只是外表比較普通。此外，他的收入欄位空白。

「他沒錢，」我說。「我無法再供養一位大人，我已經養了自己和我兒子，我需要和一個能養活自己的人在一起。上面寫他是自營工作者，隱瞞了自己的收入。」

「妳怎麼知道他沒錢？」艾文問。「妳又做了沒有事實根據的假設。我知道很多男人都沒填，因為不希望女人是因為他們賺很多才寄信過來。」

「那麼他們可能不會收到很多封電子郵件，」我說。「想想看，男人不希望女人為了錢才寄信，女人也不希望男人因為外表所以寄信來。但女人如果沒有上傳照片，男人就不會寄信來了！如果我們隱藏照片，男人會以為我們長得不好看；如果他們隱瞞收入，我們會以為他們沒有錢。大家都會假設。」

艾文嘆了口大氣。「妳想怎麼假設就怎麼假設，」他說：「但妳可能會放掉一個經濟穩定而不願意告訴別人收入的傢伙。看看這個人，他有商學碩士學位，我確定他不會窮。妳的作法是『先開槍再審問』，但有可能會射錯目標。」

笑得開心不代表是GAY

我問，我怎麼知道哪個才是正確目標？我不該利用這些個人簡介作為篩選工具嗎？我不可能發電子郵件給網站上一萬個男人。我必須根據他們寫的內容做出假設。

「是的，」艾文說，「但通常妳的假設是錯誤觀念。**喜歡賓果的男人都是老爺爺、喜歡有聲書的男人不會閱讀實體書……**」

我知道艾文給了我很好的建議，但現在我的心情很糟。顯然我年輕時都找錯對象，所以現在不是幸福地與一位好男人結婚，而是星期一午餐時間和戀愛教練一起瀏覽網友簡介。尋找「那個人」並試圖弄清楚他喜歡賓果或「閱讀」有聲書意味著什麼，已經讓我厭倦。嘗試理解任何事情的意義讓我感到頭昏眼花又沮喪。

「看到這個人了嗎？」我對艾文說，並點開一個人的簡介。「這個人看起來還可以。但你知道嗎？我記得十年前見過他。他怎麼了？為什麼找不到女朋友？他已經待在這個網站十年了。」

「妳也是，又不是十年來每秒鐘都在，」艾文回答。「這段期間，妳談過三段長久的戀情，分手後回來這裡兩次。或許他也是，或許他剛和交往兩年的人分手。妳必須停止做這些……」

「假設！」我說。「我知道。」

看來我的許多假設確實有誤，如果我想認識什麼人，我必須克制這些假設。所以我打開感興趣的名單，讓艾文看看我覺得有機會發展的男人。第一位從事市場行銷，看起來很聰明且有趣，很有幽默感，但他頭髮稀疏花白，身形較「寬」，外表看起來絕對比他說的四十六歲還要老。突然，跳出一則訊息顯示：他已經不在網站上了！我簡直不敢相信。

「連他都走了！」我告訴艾文。「真令人驚訝。他找到人了！」

「證明有些女人沒有妳那麼挑剔，」艾文說，想逗我笑。「又或許他只是休息一下，因為他要去旅遊三週。」

艾文點開另一個人。「他看起來很有趣，」艾文說。確實如此，但他的照片讓我猶豫了。

「他看起來像同志，對嗎？」我問。

「他看起來很開心！」艾文說。

「是沒錯，但他是不是看起來像同志？」

「抱著他女兒？可能不是。」

在我看來，他完全是同性戀。我不在乎他是否結過婚、有一個孩子。也許他離婚是因為妻子發現他是同性戀後離開了他。

「妳又在那裡根據個人簡介胡亂臆測別人的人生故事，」艾文說。「也許他是同性戀，但他的資料裡沒有任何跡象讓我覺得是『同性戀』。他是看起來最有男子氣慨的人嗎？不是。但這不代表他是同志。我知道這很難，四十一歲的女人上紅娘網站，妳會遇到很多承諾恐懼症者、玩咖、經濟不穩定的男人、沒有吸引力的男人、不善社交的男人、痛苦的離婚男人、年紀大很多的男人、以及比十年前妳遇到的更多不想要孩子的男人。看看妳的收件匣，我所說的事，妳早已知道，但所有好男人都被挑走了嗎？不盡然。只是妳不能透過假設來找到他們。」

確認他是「還好」還是「討厭」

艾文認為人們之所以會假設臆測，正是因為約會令人疲憊不堪。即使唯一僅有的訊息是單頁個人簡介資料，她們也想馬上知道這個人是不是命定之人。

「想在開始讀第一頁之前，先翻到書的最後一頁來看，」他說：「但妳做不到。『**我只想知道他是否聰明、我想知道他會不會承諾……**』女人想知道接下來會發生什麼。『**如果我遇到這個人，他會變成怎樣？**』所以妳對書的最後一頁做一些假設，但妳必須讀完這本書才能知道真正的結局。」

或者像我朋友凱西所說的：「在妳和他們坐下來之前，妳對發展的可能性一無所知。即使見面以後，妳仍然無法確定一開始的『還好』會不會變成『討厭』。」

艾文到處點選看看，找到了一位四十三歲有兩名孩子的單身父親。他的年齡適中，而且他對與自己年齡相仿的人約會抱持開放態度（但我注意到，他也願意和三十歲的人約會）。他從事會計之類的工作，看起來很年輕，相當可愛，他還引用了一句我喜歡的話。

我正準備講些什麼，艾文說：「我知道，他沒有檢查拼字！但別管這個，好嗎？」

「沒問題，」我說：「我正在努力敞開心胸。」

「妳在努力，但二十分鐘前妳才因為一個人最喜歡的電影而刪掉他。」

我重看了這位單身父親的資料。相當標準制式，通常不會引起我的注意，我的直覺認為他很無聊乏味，但我的直覺還沒幫我找到一個丈夫。

「妳有兩個選擇，」艾文說。「妳可以找出更多可能讓妳幸福的人，或者堅持尋找那些**妳認為**符合條件的百分之二男人，並期望這百分之二裡面的某個人恰巧認為妳屬於**他的**百分之二。即便找到了妳認為符合條件的男人，可能實際上並不適合妳，看看妳的前男友們。這是下週要思考的事情。」

艾文一走，我就寫信給這位單身父親。在通了幾封電子郵件、問了一些陌生人之間常見的問題後，我們開始講電話。這並不是指我和麥克的對話進展得很順利，事實上，如果幾年前我拒絕了與那位可愛潛水律師的約會，純粹是因為他沒有在電話中讓我驚豔，那麼我更有理由拒絕與麥克的約會。

在我們的通話中，我發現他是死之華樂團的「死忠粉絲」（四十三歲），根本不適合我。當他得知我在哪裡上大學時，他的回答是：「喔喔喔，妳是那種聰明人！」我猜想，言下之意是說他不是聰明人。他經常以討厭的方式使用雙關語。

但也有好的部分，我們有同樣的政治敏感度，同樣為人父母的奉獻精神；他是一位商業顧問，但幾年前擔任過製作人，所以也有創造性的一面；他很健談，人也善良，可以體諒我的行程安排，並主動提出要在交通顛峰時刻，行駛一段有相當距離的路程到我家附近與我見面。所以他問我想不想見面時，我沒有猶豫，我說好。

我們約了週五晚上約會。

12 逃走的男人

The Men Who Got Away

既然現在即將與麥克見面，我開始思考那些因為我做了些假設而不願與他們約會的男人。心中浮現了幾個人，我越是想到從未約過的人，越是注意到我也對那些我希望與他們約會的男人做了假設。如果我以為有些人不適合我，那我也會以為有些人是完美的，只是從未查證。

因此，為了驗證我的假設臆測有多準確，我決定追蹤我以前認識的幾個男人。

安迪：我以為不夠酷的人

我在三十二歲遇見了安迪。當時我剛搬到新的城市，一位朋友要我打給他，這樣就有人可以帶我四處逛逛看看。我們第一次一起喝咖啡就聊了三個小時，本來可以聊三十個小時。他聰明、風趣、而且非常幽默，剛認識就覺得舒適自在，但並不是那種戀愛的感覺，更像是「老朋友」之間的親切感。安迪不是我的菜，他身材有點矮壯，留著山羊鬍，略帶宅男氣質，很喜歡電腦。

錯誤一：我認為他不是我想要的丈夫。一週後，他向我表達愛慕之情，我說我對他「沒有那樣的意思」。

與此同時，安迪和我成為關係密切的朋友。我們完全「了解」彼此，一搭一唱默契十足，知道對方在想什麼。我們能逗得彼此大笑，兩人會互相開玩笑、調侃鬥嘴、分享彼此的日常瑣事以及從政治到感情方面的所有看法，但對我來說，我們就像好哥們而已。我從未有過「想和安迪交往」的念頭，只是為我們擁有這樣的友誼感到無比幸運。

不久後，我開始和一個我認為「酷」的男人約會，他的藝術氣息濃厚、充滿刺激感、有種不落俗套的魅力。也是在這個時候，安迪遇到一位漂亮、聰明、善良的女人，過沒多久，他和茱蒂開始單獨約會。

大約一年半之後，我和我的酷男友分手了（事實證明，讓他充滿刺激感的特質也會讓他不可靠；讓他迷人和不落俗套的特質也讓和他結婚生子的想法變得不切實際），而安迪糾結了一陣子，不知道茱蒂是不是他的命定之人。她有足夠的啟發性嗎？他們有足夠的共同興趣嗎？他是不是該找個更古靈精怪像他這樣的人？當時他三十四歲，準備結婚，但他不想和錯的人結婚。偶爾他會說「哪裡可以找到像妳這樣的人？」但我們總是一笑置之，就像自己人才懂的大笑話。那時我交了一個新男友，覺得自己已經愛上了他。

有天晚上，安迪問我願不願意和他一起吃晚餐，我知道有事情發生了。「我有個重要的消息，」他在一封電子郵件中說。我以為他終於和茱蒂分手了，但我們在餐廳坐下來之後，他這樣宣布婚訊：「茱蒂和我要結婚了。我們想要的東西一樣。」當時顯得很滑稽；我從未聽過比「我要結婚了！」這句話更不浪漫的說法。我記得我說了句「恭喜」，但內心卻替他難過，我以為他已經對愛情妥協。我記得當時的感覺是我絕對不會像那樣對愛情將就。我當時心想，沒有最初那段悸動興奮時期來支撐他們渡過婚姻的起起伏伏，安迪和茱蒂肯定會離婚。

錯誤二：我以為安迪和我一樣是極大化者。

詫異的是，接下來的九年，安迪似乎真的過得很滿意。我搬回洛杉磯之後，收到他更新近況的電子郵件，並附上他與茱蒂以及他們三個小孩的照片連結，我對安迪沒有感到遺憾，反而是感到嫉妒和困惑。他真的像照片中那樣幸福嗎？和一個他曾形容「枯燥乏味」的人結婚，難道他不覺得孤獨嗎？

當我問起這件事，他是這樣解釋的：「她在某些方面是枯燥乏味，但整個大局來看，那些事情並不重要。我是健談的人，也喜歡說笑，看待事情很認真，而她不是這樣的人。雖然這點在我們交往期間很重要，如果伴侶有這樣的特質也很好，但對婚姻的日常生活來說，影響性微乎其微。」

他的婚姻完美嗎？不，但他沒有預期婚姻是完美的。「我有很多朋友結婚，後來發現婚姻不如預期般美好時會感到不滿，就像是說：『嘿，我可不是為這個結婚的，宣傳手冊沒提到這個！』」

安迪告訴我，他知道他想和茱蒂結婚，因為兩人雖然沒有強烈的情感火花（肯定還是有些肉體上的化學反應），但交往過程有一種平靜和舒服的感覺。他們在同一個地區長大，雙方父母認識彼此，擁有相似的成長經歷。

「看到她的成長照片，並拿來與我的成長照片相比，」安迪說：「我們簡直像是在同一張照片裡一樣，這讓我感覺很好，有家的感覺。她擁有很多我在尋找的特質：道德、專業、家教嚴謹、迷人、善良。至於那些缺乏的特質，我想，五年後這些真的還重要嗎？」

安迪認為，適應力強的人婚姻關係較好，因為優先事項會隨時間發生很大的變化。「孩子出生是一個非常重要的轉捩點，」他說：「一旦成為父母，你會意識到一切不再只是你一個人的事。對我來說，擁有一位好母親陪伴著孩子，比擁有一位耀眼動人的宴會伴侶更重要。」

安迪記得和茱蒂約會時，他曾在百視達花了很多時間研究DVD封面，猶豫不決，不知要租哪部電影，等到終於挑到一部，剩下的時間已經來不及看完整部電影。他開始問自己：「你是要尋找一部最完美的電影，還是只是想租一部電影回家看？你打算在百視達逗留多久？」他意識到，想要得到更好的選擇是一種折磨，因為每次你以為有機會得到更好的時候，只是用**已知的**負面因素換取**未知的**負面因素。

「茱蒂身上沒有我想要的特質，這曾讓我困擾過，但我也想過自己可能用餘生時間想出不該與A女、B女、C女或D女在一起的理由。越老越明白人生苦短，我覺得我現在的生活非常幸運。我和妻子可能不會互相幽默調侃，但我們擁有一起見證自己孩子達到各個里程碑的美好情感連結，在教養育兒方面，我們的想法異常相似。也許我和一個充滿刺激感的人在日常生活中無法意見一致，可能會經常吵架，相比之下，我更想要現在的婚姻。我做了有意識的決定，盤點我喜歡和重視茱蒂的特質，而那些缺少的特質並不值得我為此感到痛苦。我有幾個朋友每天晚上十點就用Google搜尋『**高中時代那個女孩怎麼樣了？**』雖然會忍不住搜尋，但你必須記住，網路只是充滿真實人物的現代言情小說」。

如今，安迪幾年前宣布他決定與茱蒂結婚時說的那句話：「我們想要的東西一樣」，讓我有了不同的感覺。他的家族網站照片之所以讓我如此嫉妒，是因為我也希望找到一個和我願景相同的人。諷刺的是，過去讓我覺得他很宅的特質，現在卻讓我覺得他很有吸引力。他的電影冷知識很受歡迎，與孩子們分享會樂趣無窮；他對無伴奏合唱和業餘電影製作的愛好在家庭影像中得到搞笑的運用；他的不圓滑讓他成為值得信賴和誠實的夥伴。順帶一提，他變瘦了，也剪掉山羊鬍，我覺得他確實很可愛。

我不是要說安迪是我的靈魂伴侶，也不是要說如果我們交往會有結果，我只是想說，我希望當這種可能性還存在的時候，願意考慮這種可能性。回顧過去，我不敢相信我生命中有一個我願意付出時間陪伴他的男人，他的人生願景和我一樣，而我居然沒有**考慮**過和他交往。即使到今日，他依然是我最喜歡聊天的對象之一。如果能回到過去，我會立刻與安迪這樣的人約會，不是因為我對愛情將就，而是現在對我來說重要的事情不同了，而我應該一直以來都要重視這些事情才對。

馬特：我以為是完美的人

說馬特是我的理想男人過於輕描淡寫。他才華洋溢、創意十足、另類、成功、英俊、懂得自嘲式幽默，至少書面上看起來如此。雖然從未見過，但我在時尚雜誌上讀過一篇關於他的文章，我想，**這就是我想要約會的那種類型**。

我當然知道幻想一個完全陌生的人有多麼癡心妄想，但事實是，我仍然希望最後與馬特這種類型的人在一起。如果你問當時的我覺得那樣的想法是否務實，我會說不，但某種程度上我在撒謊，我在約會生活中總是忽略像安迪這樣的男人，只為了等待馬特這樣的男人。

將近十年過去了，我正在清理辦公室裡的一些舊箱子，偶然發現那篇我在三十一歲時從時尚雜誌上撕下來的文章。我正準備把它扔掉，但在與艾文討論錯誤假設後，我決定用Google搜尋一下馬特的近況。他現在四十五歲，如文章所預測的，已經成為大名鼎鼎的建築師，依然英俊瀟灑，有一個兒子。公司網站上有他的電子郵件地址，我寫了一封信給他，告訴他關於我的書，並詢問能不能和他談談。他的回信很幽默，說他很樂意，哇，我心想，我的夢中情人也很友善。

我以為他什麼都有：外貌、個性、才華、魅力和充滿愛的家庭，我覺得他的妻子很幸運。

確實，我們初次交談時，我的假設似乎沒有錯。馬特跟我想像的一樣有魅力、體貼、迷人和有趣。本來要求的三十分鐘談話時間延長到三個小時。他正是我喜歡的那種男人，但是，聽好了，他沒有結婚。他從未結過婚，他的兒子是與前女友意外懷孕生下來的，他單身且接受新戀情。

怎麼可能？一個在許多方面都很有吸引力的人怎麼可能找不到伴侶？我們聊得越多，答案越呼之欲出。他是有害的極大化者！沒有人符合他的要求，他要的不是那個懷孕的女友（她迷人且聰明，但她心思太細膩讓我困擾、她的手太大，我不喜歡），對方現在已經幸福地結婚了（八成是找到能解決心思細膩問題和喜歡手大的人）；不是那個「經常在小事上犯錯，像是開車該往哪個方向，說明她能力不足」的女朋友；不是那個溝通方式和他不同的女朋友……也許他和這些女人真的合不來，但其中兩段感情確實分別維持了五年和七年。

那麼，這些關係肯定有些積極的方面，對吧？

「我不是不能和別人在一起，」馬特解釋道。「但當時，如果這麼做，我會覺得自己妥協了。我從來沒有找不到我想在一起及想和我在一起的人的困難，這讓你覺得身處這樣的世界，我可以把這條魚扔回海裡，再找下一條。」

現在，四十五歲的馬特告訴我，他這個年紀的朋友多半已經結婚生子，為什麼自己還沒結婚，這個問題他也經常問自己。

難道他只是沒遇到合適的人？還是他不夠務實？

「我認為我很務實，」他停頓了很久說。「我總是受到非常聰明、有能力、有成就、有洞察力、坦率、積極的女性所吸引。但我也沒說我絕不和離婚的女人約會、或不和有孩子的女人約會，也沒有任何類似的規則。」

我問他是否會對一個聰明有洞察力、但也許沒那麼多成就的女人感興趣。他說，從假設的角度看，是的。但說實話，他不太確定。

「我想我已經不太會妥協了，」馬特承認。「我已經等了這麼久，我不打算現在妥協。我有很多朋友都已經離婚了。」

我以前對於離婚夫婦也是這樣的想法，但我沒有考慮到大多數人在結婚的時候不會覺得他們在妥協。大多數人步入婚姻殿堂都相信他們找到了命中註定的另一半。我懷疑離婚率之所以高，並不是因為那些妥協的人想離婚，更有可能是，因為那些曾經以為他們瘋狂相愛的人意識到，自己在配偶身上尋找的特質是錯的。

其實，在與馬特交談的過程中，我突然想到，十年前被他的雜誌專訪所吸引的特質，很可能只是與那些未必適合成為顧家型丈夫的個性特徵。一位有抱負、才華洋溢、創意十足的男人可以成為絕佳的晚餐伴侶，但一週工作七天，每年只看兩週兒子的男人（而且他說過，如果有更多的孩子，「我想我會對嬰兒感到厭倦」）、一個對不完美幾乎零容忍的男人，不會是那麼有吸引力的配偶。作為男朋友，他的個性和令人欽佩的思維可能讓人興奮不已，但這類人很少可以和樂於享受家庭生活的人處得來。所有我訪問過的專家都說，共同的價值觀比共同的興趣重要，雖然作為伴侶，馬特和我可能永遠不會沒有話題可談，但作為共同經營家庭的父母，我們也可能永遠都有意見分歧的問題。

談話過程中，馬特問了一個有趣的問題。他談到他的七年感情，儘管希望這段關係能夠走到最後，但女友有太多事情讓他困擾。「回歸到一個大問題上，」他說。「人為了維繫感情應該改變多少？」

我不確定他是在講自己、講女友、還是兩個都有。但令我好奇的是，如同許多單身人士，他認為問題在於需要改變，而非需要接納。因為正如我的已婚朋友們經常說，問題不在於改變對方，在於接納對方身上你想改變但改變不了的東西。

後來，馬特告訴我，他嘗試過網路約會，我央求看看他的個人檔案，那對我來說就像貓薄荷一樣具有吸引力。如果是幾年前看到他的徵友文，我會在電子郵件按下「傳送」鍵的同時決定結婚日期。但是，就我目前尋找的配偶類型而言，如果我可以在他和安迪之間選擇，我肯定選擇安迪，不會後悔。十年前，如果有人告訴我，我會選擇安迪而不是馬特，即使並非完全不可能，我也覺得太荒謬。但現在我在這裡，依然單身，和我的前理想男友在一起。

傑夫，一個我以為腦筋不夠好的人

回到二〇〇六年，我因為在寫一篇文章，所以嘗試用幾個有科學依據的約會交友網站，當時我刪掉一位出現在收件匣的男人。我在文中問，為什麼交友網站會把我這麼熱愛閱讀、會受文青才子吸引的女人，和這樣的人配對在一起？

這個人的徵友介紹如下：

雖然我閱讀書籍，但看書專注力是出了名的短暫。因此，我公寓裡散落著沒讀完的好書（據他人說是）。這些書擱在一旁，是因為我轉看雜誌……但每隔幾天，雜誌又會輸給DVD。

我認為我們不適合，連一封介紹信都沒寫便刪掉他。但後來有天，他寄了一封信給我，說他正在閱讀《大西洋月刊》，竟然發現自己的網路約會資料刊登在上面。他說，在得知我認為他文學涵養不夠時，他正在閱讀國內享負盛譽的文學雜誌，這不是很好笑嗎？

三年後我從北加州打電話給他，談論這個誤會，傑夫說：「我覺得那件事太好笑了。」傑夫比我小一歲，高學歷，是一位軟體創業家。我們聊得很愉快，信不信由你，談話內容都是關於他最近讀過的書！他很幽默，很有自知之明，我們似乎在價值觀和興趣方面有許多共同點。但現在，他當然已有女朋友了（而且不出所料，她三十出頭）。

傑夫告訴我，他明白為什麼我會根據他的簡介草率下結論，他也已學會了在談戀愛時不輕易做出假設。以他現任女友為例，他曾因兩人的幽默感不同而感到困擾。

「我以前認為，幽默感是兩人相處狀況和大腦思考方式的有力指標，」他說。「在某些方面確實如此，畢竟能激發我們腦力的事物不同。我喜歡拼圖、解謎和益智遊戲，她對那些不太感興趣。不能與她分享這些東西，我有一點難過，但過去六個月來，我們真的成長了許多，從對方身上得知一些讓我們驚訝的事情。我們都善於反思，溝通也良好，我們可以無話不談，而且不會產生戒心。我們都喜歡跑步，參與社區服務，喜歡彼此並欣賞彼此。回想其他段關係，我很不成熟，總是設法找出不足之處。」

第一次看到傑夫的簡介，我也做了同樣的事。我沒把注意力放在他看起來多麼迷人、聰明、幽默，而是看到負面的地方，認為他不像我那樣愛書，然後把他排除在外。最糟糕的是，這是錯誤的假設，他的簡介根本沒有反映出本人非常博學多聞，或者對某些閱讀題材充滿好奇。而且到頭來，如果他像我在電話中發現的那樣聰明又風趣，那麼從長遠來看，即使他沒有博覽群書又有什麼關係呢？

與安迪一樣，我永遠不會知道和傑夫在一起的話會如何。但重點已經不是傑夫或安迪或馬特，而是別在下一個男人身上犯下同樣的錯誤。

13 機會又告吹

Pulling Another Sheldon

當然，我意識到自己對謝爾頓也做了同樣的事，就是那位媒人溫蒂試著幫我牽線的那位常春藤盟校出身的單親爸爸。溫蒂對於我的每一個錯誤假設都提出質疑，但等我清醒過來，謝爾頓已經和別人約會了。

同時，溫蒂依然嘗試替我找另一個對象，但她所調查的男人中，從未結婚的男人只想認識沒有孩子的育齡女性（即三十五歲以下），或者根本不想要孩子。她找得到的離婚父親往往已經五十多歲，再沒幾年就要送自己的孩子上大學，沒有興趣和一位有幼兒的女人交往。（他們也不想遇到沒有孩子但想生的育齡女性，他們已經不想再照顧小孩了。）溫蒂只和她審查過的、擁有重要品質（善良、負責任、穩定、婚姻觀念、品行良好）的人合作，這樣就排除了那些不是認真追求一段關係、自己的事情處理不好、或者情感有問題的人（尚未從離婚中走出來、抑鬱、不成熟）等等。

很遺憾，她一無所獲。

我開始想，我這個年紀的離婚父親都在哪裡。我的意思是，鑑於全美離婚率之高，肯定有很多這樣的人，對吧？溫蒂告訴我，年輕的離婚父親有是有，但他們不會維持單身太久，而離婚母親卻會，這也就導致單身女性過剩。溫蒂也遇過那種不想再婚、甚至不想承諾長久伴侶關係的離婚父親，因為他們已被前妻掏空，但仍然希望有女友的陪伴。

再加上談到孩子時，年輕的單親爸爸是有市場的，因為女性重視愛孩子的男性。年輕的單親媽媽卻是個累贅，因為男性不願意照顧別人的小孩。

十年前，我不知道約會會變得這麼難，但現在終於明白了。至少我以為我明白了。

同一星期，邱比特教練的老闆兼媒人裘莉．費曼，慷慨地為我做一次免費配對。於是我開心地填寫了一份個人資料，並與她預約時間。

好男人溜走了

我們約定見面那天，裘莉第一件事就是問了我很多資料上沒有提到的問題：過去和哪些類型的人約會？哪些成功？哪些失敗？我的家庭怎麼樣？我的童年怎麼樣？什麼對我很重要？我對什麼充滿熱情？問完大概花了一個小時。然後她開始敲打電腦鍵盤。答、答、答。她正在查看她的配對資料庫。

「我正在尋找前五名候選人，」她說完，不停敲打鍵盤。「我沒有提供更多對象是因為那樣會讓人不知所措。如果給人太多選擇，就會變成另一種紅娘網站的體驗，那還有什麼意義呢？然後一年過去，錢都花光了，結果什麼都沒變。」

我看了看電腦螢幕，五位男士朝著我微笑。其中兩位非常可愛，其中兩位看起來很老，但實際只比我大個幾歲。我可能在他們看來也很「老」，自從四十歲以後我開始注意到我看同齡層的每個人都覺得很老，因為我想像自己的時候，腦海裡浮現的是三十歲的自己。我還沒有重新調整形象，以反映我今日的模樣。

這個是問題，因為我就是不喜歡中年男子。見到一個人或看到他的照片，我可以肯定如果我在他二、三十歲的時候愛上了他，一起組織家庭，一起走過十年或十五年的光陰，我仍然會被他吸引，因為他本來的樣貌會儲存在我的腦海中。就像七十歲的女人仍然認為她七十歲的丈夫英俊挺拔、衣冠楚楚，因為他以前的形象是這樣，即使這麼多年過去，丈夫在她眼中還是原來的樣子。但見到一位七十歲的老人，沒有共同的經歷回憶，沒有共同的青春，沒有四十年前的心理印象，很難讓人臉紅心跳。

我知道需要克服這個問題。在裘莉給我看的男士中，我選的第一個人，是一位三十多歲、大男孩模樣、沒結過婚、沒小孩的編劇，可能是最不適合我的人選。她告訴我，之所以把他放進名單，是因為她不像瞭解一般客戶那樣瞭解我，沒有和我一起經歷完整的流程，所以她想給我一個廣泛的年齡範圍來瞭解我的喜好。但我們聊這位編劇聊得越多，她越試圖引導我去關注一位我所忽略的人：肖恩。

她告訴我，肖恩信仰東方哲學，在事業上非常成功：除蟲行業。沒錯，就是消滅害蟲的行業。一方面，我想，我真的很害怕蜘蛛，所以也許這樣很合適；但另一方面，我從沒想過自己會和一位以殺蟲為生的人在一起。他是光頭，不過外貌年輕，也確實挺帥的，看起來不到四十六歲，他住在一小時車程外，不是猶太人，比我高一呎多。真正信仰東方哲學的人會去殺蟲嗎？

我不確定。我回去找那位年輕可愛的猶太編劇了。

裘莉很堅持，態度強硬，以一種好姊妹般的方式勸說：「如果妳是我妹，我會叫她停下手邊所有事情，然後去見誰？肖恩啊！我替我妹妹找到她的另一半，她的婚姻和孩子都是我一手促成！」

我努力想像和肖恩約會，晚餐時閒聊我們的日常生活。

「所以，那些蟑螂處理的怎麼樣了？」我會問。難以想像這種場景。另一邊，編劇寫到他喜歡《美國生活》和《每日秀》節目。他很幽默，我有提過他有多可愛嗎？

裘莉說我應該敞開心胸考量她挑選的其他男士。還有克里斯，四十五歲企業老闆，離婚，有一個十幾歲的孩子。他一副那種俊俏的經典電影明星外表，完全不是我喜歡的類型，我喜歡長相更獨特一點的。

對、對，我因為人家太帥而拒絕他。我還可以再更挑剔嗎？顯然可以，我因為人家經營建築材料供應公司並畢業於聖地牙哥州立大學，覺得他不夠聰明（說好不做假設還是做了）。接著是羅伯特，一位比較隨和沒有企圖心的自由經紀人，他也是五呎六吋，但這不再是問題了，我已經放棄了身高條件。真正的問題是，他看起來中規中矩，腦袋不怎麼靈光，我需要有腦袋的人。

瓊恩有腦袋。他是一位五十歲的生醫器材猶太創業家，常春藤盟校畢業，體格健壯，他的徵友文寫得既聰明又真誠。但他似乎缺乏幽默感，而且住所離我家有一個半小時的車程。按邏輯來看，這樣以後怎麼約會？最後是史考特，一位離婚的四十九歲環境律師，住在我家附近。他的徵友文寫得很棒，但他也有兩名十多歲的孩子，是天主教徒，而且我覺得看起來很老。

裘莉也推薦史考特，我們知識背景相當，鑑賞力和興趣相似，都很用心在照顧孩子上面。但我在這些人選中選擇了編劇。

結局不必我多說。就像恐怖電影中的角色，三更半夜聽到地下室傳來聲響，明知道應該撥打九一一，然後滾出屋子，而不是踩著嘎吱作響的樓梯直接走進危險之中那樣，我讓裘莉幫我聯繫那位性感的編劇。我們透過電話交談，他很有趣、很有創意，他和我有共同的流行文化話題，親切且善良。但他不得不多兼幾份工作來支付帳單，住在市中心治安不佳地區的單房公寓，對於小孩沒經驗也沒興趣，他晚上會去俱樂部，和年輕的單身朋友一起玩到深夜。我們似乎都很喜歡這次聊天，但聊得越久，越清楚明白兩人處於人生的不同階段。我們誰都沒有邀約見面。

與此同時，我也沒有繼續追求裘莉為我挑選的任何人選，直到幾個星期後，我再看一眼史考特的資料。

這一次，我看完他的文章後，覺得腦袋好像被敲了一下，他正是我一直在說找不到的那種人。不單是因為他和我的興趣幾乎完全一致，而且他似乎是我真的想一起生活的人。即使他看起來比較老、孩子已經十幾歲、沒有相同的宗教信仰，但那又怎樣？我們有相似的價值觀、生活方式和目標，我們都把孩子擺在首位，都是知識份子且有創造力（他還是業餘的攝影師）。我喜歡他的自嘲式幽默，他也想再婚。

這些都不是新聞，裘莉在介紹他給我的那天就告訴我一切，但我被年輕的猶太編劇蒙蔽了雙眼，他就是我一直以來追求的、甚至交往過的「類型」，但他們卻從未讓我有機會說「我願意」。

我發了一封電子郵件給裘莉，告訴她我有興趣見見史考特，幾個小時後收到她的回覆：史考特現在正和她的另一位客戶約會。他已經名草有主。我心想，不意外，我又搞砸了另一個謝爾頓！

我到底有什麼問題？在理性層面，我知道我所做的選擇從長遠來看不會帶來幸福；我知道專家們說的絕對是真的，但我的非理性層面似乎還是佔了上風，讓我對自己感到沮喪和失望。我還要讓這種事情發生多少遍？我在想，我到底什麼時候才能記取教訓？我擔心如果再學不乖，就要孤獨終老了。

有些事情必須改變，很明顯，要改變的就是我。

14 戀愛培訓課 第三堂：阿法男真相

Mondays with Evan Session Three : The Lowdown on Alpha Males

週五晚上，我提前幾分鐘抵達咖啡廳，準備和麥克約會，他是我在上次約會指導課程中寫信給他的單身爸爸。我坐在桌前喝著拿鐵，突然聽到一個聲音：「蘿蕊？」

抬頭一看，出乎我意料，麥克居然非常英俊，和他的網路照片判若兩人。他很有紳士風度，主動替我添咖啡或請我吃飯。他問我要不要坐在戶外，因為室內太吵了。於是我們在戶外小桌上談論選舉、為人父母和彼此的工作，甚至發現到我們有一個共同認識的人。

艾文說別做假設是對的：原來麥克是喜歡死之華樂團音樂的死忠粉絲，並不是開著貼滿貼紙的貨車、整天嗑藥的那種；他本人沒有使用雙關語，也許是講電話太緊張了；他看起來很聰明，即使他不認為自己屬於「那種聰明人」，也承認自己向來不是好學生。我看都沒看就做出的判斷並不準確。

但儘管如此，我在第三次約會指導課程上告訴艾文，我們似乎對大方向沒有共識。麥克對實際問題和職業抱負的態度都很淡定，他真的很低調，似乎沒什麼目標，沒有……

「他不是阿法男[2]，」艾文打斷了話。

「嗯，是呀，」我說，「但我認為我不一定會喜歡阿法男。我對投資銀行家、賽車手或那種超級大男人之類的人沒有興趣。知性的男人才會吸引我，醫生、律師、從事有趣研究的科學家、或者我崇拜的劇作家。我喜歡的不是那種打卡上班的人，而是要對自己的工作充滿熱忱的人。」

「沒錯，」艾文說。「就是阿法男。他們會吸引很多女人，但這些女人又抱怨他們難相處；同時，她們又不願和不是阿法男的男人約會。她們不願和害羞的人或沒有領導能力的人約會。自信、成功的男人能夠激發女人的信心。」

我認同。一個有能力和自信的男人，是很有吸引力的。他能夠成立公司、打贏

2 阿法男（alpha male）：源自動物學，在動物群體中主導的雄性；後衍伸意指在社會中較具領導力、積極、強勢特質的男性。

官司、或者治癒疾病；他會制定計畫、謀生、主動採取行動；他有足夠的運動能力，可以打倒想像中的壞人。我不好意思承認，但他能夠保護我們不受外界傷害，即使我們不需要保護。

剛強果斷的溫馴男

我記得和一位三十五歲的單身廣告女主管聊過，她告訴我，五年前她認為男友從事幼兒音樂的工作似乎太軟弱而分手。最後他和別人結婚，當然也成為一位真正疼愛孩子的父親。但是她從那之後與律師或銀行家的戀情都無疾而終，因為她不相信這些阿法男友能夠像這位老師一樣成為好伴侶和好父親。他們的個性不夠柔軟，導致經常發生爭吵，而這位音樂老師個性比較隨和圓滑，可是又似乎過於包容。這點讓她很煩惱。為什麼這位老師對日常生活的事情都沒什麼主見？為什麼他總是說「如果妳想這樣做，當然，我沒意見」呢？

「這想法可能不太理性，但如果他是在他的音樂課程上，我可能會有不同的感覺，」她談到關於前男友。「我不知道，至少他看起來會更有權威。我一直抱持著這樣的想法，長大以後要嫁給一個收入比我多或至少一樣的人，但他賺得比我少很多。而且他沒教課的時候，空閒時間很多，我卻一直在工作。看起來好像他是家庭主夫，我則是拿薪水回家，一年四季都在公司工作的人。我知道這樣說聽起來很差勁，但我真的不好意思帶他去辦公室的聖誕派對，讓他告訴別人他教兩歲小孩怎麼敲打玩具鼓。」

艾文說他經常聽到這類故事：女人抱怨那些有吸引力的阿法男自我為中心或不可靠，但那些好男人又無法引起她們的興趣。

「女人說她們想要一個隨和的阿法男，」艾文說。「或者一個剛決果斷的溫馴男。她們希望有人能讓她們既興奮又能有安全感。」

正如這位廣告主管所說：「我想要一個擁有雄心壯志的人，同時具備教育幼兒那種親切、心思細膩、寬容和關懷的特質。如果可以的話，最好是他在家裡表現出親切、心思細膩、寬容和關懷的特質，在外面展現出雄心壯志的特質。」

我也是這樣。

當我提起這件事，艾文問：「那妳有沒有注意到這種男人非常、非常罕見？」接著說，即使妳找到了，那真的是妳想要的嗎？艾文說，阿法男就像我們二十多歲交往的壞男孩。而現在，我們的約會對象不再是一年三十週都在外地演出的叛逆搖滾歌手，而是每週工作六十個小時、迷人且從未結婚的四十歲男人，所以我們似乎總是排在他的工作和自由之後。

反觀溫馴男就是……很隨和。他們想討好女性，樂意為女人做任何她想做的事。但艾文說，有些女人不希望男人那麼聽話，她們希望由男人來主導、來開車、來決定，而不是總是對她們提出來的任何方案都說好。

艾文：「然而，主導者可能是周圍最傲慢、最難相處、最容易發火的人。想找到將妳擺在第一位又具有領導性格的人，相當困難。」

艾文告訴我關於他某位客戶被剛交往的男友惹惱的事。男友帶她去一個音樂太大聲的地方，然後男友察覺到她的不悅，便問她想去哪裡。結果此舉反而讓她更加不開心，男友不僅選了一個糟糕的地點，還想讓她為他自己的錯誤挑選另外更好的地點。為什麼這傢伙就不能做出一個好的決定？

艾文說，這是從女性客戶那裡聽到的典型抱怨：她們想要的是會關心她們感受，也能讀懂她們心思的領袖。或者，她們想讓男人當總統，只要女人也擁有否決權。

「唯一的問題是，」艾文說：「妳會發現妳和阿法男爭吵不休，因為往往妳只能接受他的作法，不然就離開。妳希望他願意討好妳，而妳卻不尊重那些試圖討好妳的溫馴男。」

艾文經常發現他的客戶列出那種魚與熊掌不可兼得的特質：極具上進心的男人，同時也有很多閒暇時間可以臨時起意來個旅行；俊俏有魅力的男人，但在派對聚會上不會吸引其他女人的注意。

「妳可能兩種特質都想要，」艾文解釋：「但妳必須選擇哪個更重要。我認為妳從這個角度看，答案就相當明顯了。順帶一提，這些阿法男可能也不是在尋找妳所擁有的特質。」

阿法男不想和我結婚

這到底是什麼意思？為什麼阿法男不想和我交往？

「不然妳講講，」他說：「以前和阿法男交往時都發生了什麼事？」

我跟艾文說了幾位過去吸引我的阿法男。一位似乎在庭外也想贏得每場辯論的訴訟律師；一位已經習慣員工滿足他的要求，在戀愛關係中也不肯妥協的成功企業家。

艾文點點頭。「在談戀愛時，我們經常尋找和自己相似的人，」艾文說。「成功的女性通常會尋找成功的男性。但是，這些讓他們成功的特質會產生摩擦，這就是為什麼最後會看到兩個堅持己見的人爭執不休，兩個人都需要所有的關注度，兩個人都把工作看得比感情重要。我們一直試圖找到『更好』的自己，不去尋找與自己互補的人，反而尋找與自己競爭的人，這樣只是對我們自己不利。男人也可以在其他領域成為領導者，只是不在工作方面。」

「你是說，有抱負的女性不該與有抱負的男性交往嗎？」我問。

艾文搖了搖頭。「我是說，妳必須找到一個優勢與妳互補的人。妳在男人身上看到那些令人印象深刻的特質，不一定能在婚姻情境下得到好的轉化：企圖心旺盛、勝負慾強、固執己見。」

「但這些男人總會結婚吧，」我說。

「是啊，但他們會娶**妳**嗎？」

我試著回想我認識的阿法男和他們的另一半是哪些類型：願意放棄事業的全職媽媽、工時彈性且低調的職業婦女，仔細想想，還有從事輔助性質職業的類型，比方說護士。很遺憾，這些都不是描述我的類型。

「想想看，」艾文說。「阿法男和妳交往能得到什麼？在工作中，整個世界圍繞著他轉。他喜歡腦力激盪和各種觀點，喜歡挑戰，但他每天在工作就可以得到這些了。他在工作中得不到的是溫暖、支持和關懷，妳或許能提供這些，但妳的個性也不是最隨和的。他希望家庭生活輕鬆自在，而妳希望找到一個能夠領導，同時也能妥協讓妳領導的男人。這樣可能會造成你們之間的衝突。」

因此，艾文說我必須做出決定：我想再和麥克約會嗎？

「妳必須決定妳更想要什麼，」他解釋：「妳想要以前喜歡的那些男人嗎？那些即使到目前為止都沒有順利走下去的對象？或者妳想試著去瞭解麥克，他個性溫和，是個好爸爸，但不是特別有企圖心的人？我並不是指麥克就是適合妳的人，他也可能完全不適合妳，我只是要說，第一次約會可能沒有充分的資訊來判斷他這個人。」

他說得有道理，我們才約會一次。我總是把第一次約會當成某種測試，來判斷這個人是否通過，有激起愛的火花就通過，沒有就謝謝再聯絡。但也許我高估了第一次約會的重要性。畢竟，我和麥克聊得很愉快，只是他沒有讓我「哇！」驚嘆而已。我可能也沒有讓他「哇！」驚豔，但我猜他之所以會再約我出去，是因為第一次約會進展得很順利，那第二次約會有什麼理由不去呢？

那麼，我們對於第一次約會到底應該重視到什麼程度？

15 第一次約會透露出什麼訊息

What First Dates Really Tell Us

我告訴我的朋友盧西亞我要和麥克進行第二次約會時，她說：「喔，原來妳真的喜歡他！」我試著解釋我其實沒有喜歡或不喜歡他，只是態度保持中立。

但盧西亞和她丈夫第一次見面時感到「心跳加速」，所以她認為我是忸怩難為情。

「妳是害怕受傷嗎？」她問。「我打賭妳喜歡他的程度比妳表現出來的還多。」

我沒有，但盧西亞不理解如果我態度如此淡然，為什麼還要去第二次約會？在她看來，何必呢？

改變故事

某程度來說，我也想知道「何必呢？」當然，我認識許多婚姻幸福的人，他們的第一次約會也沒有非常美好，但不知為何，我卻期望與自己的另一半，能有個難忘的初次約會。

我也曾經在第一次約會的時候過度解讀。有一次，我和一個男生見面，當我們發現兩人早餐都吃同款冷門品牌的巧克力脆餅時，我非常興奮（太巧了吧？是命中注定！）然而，這個巧合並不表示我們就是靈魂伴侶，只是說明我們有同樣不良的營養習慣。到了第三次約會，我們發現除了這款餅乾，兩人幾乎沒有什麼共同之處。儘管如此，聽到越多人講述他們初次見面是怎樣「第一眼就確定是對方了」時，我就越相信這種開端能夠帶來更幸福的婚姻。

加拿大研究情感關係的學者兼教授黛安．霍恩伯格表示，事實並非如此，而且我聽到的第一次約會故事可能也不是那麼準確。她發現，已婚夫妻經常隨著時間改變他們追求過程的故事。在她的《故事講三遍》（Thrice Told Tales: Married Couples Tell Their Stories）一書中，她和共同作者分析了夫妻分別在婚後第一年、第三年和第七年如何描述他們的追求過程，結果發現故事都不一致。

「我挑選一組整體婚姻幸福感大幅下降的夫妻，」她解釋：「然後再挑選第二組夫妻，該組夫妻在第一年的婚姻幸福感與第一組夫妻一樣，但感情卻是隨著時間而更加穩固。接著我研究這些夫妻如何談論他們剛開始交往的過程。」

她發現，到了第三年，感情穩固組的追求故事比他們第一年所敘述的**更加正面**，而幸福感下降組的追求故事比他們第一年所敘述的**更加負面**。請記住：在第一年時，這些追求故事的**語氣都是相同的**。換句話說，幸福的夫妻對於他們交往初期的描述隨時間變得更加正面，而不太幸福的夫妻對於交往初期的描述則隨時間變得更加負面。

這些回憶不只是第一次約會，也涵蓋了從第一次約會到求婚的過程，不過，霍恩伯格指出，由此確實顯示出一種對過去經歷進行改寫修正的現象。

那麼盧西亞第一次約會的故事準確嗎？我不曉得，十年前她遇見她丈夫時，我還不認識她。但無論如何，我知道必須改變我對第一次約會的看法，不再把她當成預測我和每個男人未來的工具。

葛蕾絲已經結婚六年，她知道第一次約會可能會產生誤解。

「遇到我丈夫時，我真的聽到了一股聲音，」她告訴我：「那股聲音說：『妳會嫁給他，然後生一個兒子。』每當我靠近他時，世界彷彿停止轉動，我感覺和他有著強烈的連結。」

他們現在確實有一個兒子，就像那股聲音所說的；但事實證明這種連結並不持久，他們正在辦理離婚手續。

她現在坦承：「最重要的是，我當初真的不瞭解他。」

在最近一集《美國生活》廣播節目中，我聽到這樣一個故事，一對夫妻經歷了無比浪漫的一見鍾情和一段堪比電影情節的追求過程，但婚姻生活卻比兩人預期的還要糟。維繫關係變得非常困難，兩人吵到差點分手，但後來他們選擇努力克服分歧，造就現在的穩固婚姻。男方在採訪中表示，由於他和妻子的一見鍾情故事讓人印象深刻，大家總想聽這個部分，但在他看來，大家都問錯問題了。

「每個人都問我們怎麼相遇，」他說：「卻從來沒有人問我們是怎麼維繫感情的。」

不回他電話

接著是茱莉，她在遇見丈夫傑夫時，心中沒有激起任何火花。事實上，她甚至不想和他一起喝咖啡。他們第一次見面不在浪漫的餐廳，是在北卡羅萊納州的一間加護病房裡，站在病人的床邊。茱莉是醫生，傑夫是護士。

病床旁邊見過面後，傑夫在茱莉的答錄機上留了幾則訊息，但她沒有回電話，因為她找不到一種禮貌的方式可以說「謝謝再連絡」。她確定自己對傑夫沒有心動的感覺，而且因為他們可能還會在醫院碰到對方，拒絕他會覺得很尷尬。

然後，某天晚上，茱莉正準備和工作上的朋友去看棒球比賽，傑夫打電話來，他事後說，那是他第三次也是最後一次嘗試。

「對於原本不想去的約會，我覺得這樣的回覆最完美且親切，」茱莉說：「於是邀請傑夫下班後加入我們，反正都是他認識的人。」換句話說，這是完美的非正式約會。

但當他們坐在外野的草坡上時，兩人完全忘記了比賽。

「我們像老朋友一樣聊天，」她說。「笑著聊我們成長的相似之處，他讓人有種熟悉感。從那天晚上起，我們都沒有和別人約會過。」

他們已經結婚十二年了。

「傑夫就像是那個好幾次送到我家門口的包裹，」茱莉說：「但直到拆開他，放在那裡，我才看出他是多麼珍貴的寶藏。」

青蛙王子

洛杉磯的諮商心理師海倫娜・羅森伯格擅長輔導尋找伴侶的單身女性，她稱像自己丈夫這樣的男人為青蛙王子。這些人乍看之下，妳不會認為他們是妳的潛在伴侶，但當妳認識他們以後，他們就會變成王子。

珍妮佛現年三十六歲，七年前遇見了她的丈夫，她嫁給了一位青蛙王子。

「我當時在一個聚會上，甚至沒注意到丹尼，」她說，指的是她丈夫。「我注意到的是另一個人，我和那個人約會，並與丹尼成了朋友。但不久後我就發現到丹尼更有魅力，他只是沒有那些在第一次約會時能從對面桌子看出來的優點。最好的丈夫擁有這些不易察覺的特質，這些特質會隨著時間慢慢浮現，比如仁慈，耐心，寬容和誠實。」

斯科特．哈爾茲曼是布朗大學的精神病學家，也是《女人婚姻幸福的祕密》（The Secrets of Happily Married Women: How to Get More Out of Your Relationship by Doing Less）一書的作者，他在普羅維登斯的辦公室告訴我，對於剛開始約會的女性而言，瞭解這點非常重要。

「我自己的臨床觀察是，第一印象並非婚姻成功的有效預測，」他說。「我有一個十七歲的女兒，她會說和哪個男生出去，對方很無聊，我說，『很好，無聊很好！總比壞男孩好。如果妳沒有感覺到危險或一陣噁心，那就再約出去。』有人會把暈船誤當成對這個人有興趣，但如果妳能客觀告訴自己，這個男孩具備一些好的特質，那就再約。也許需要經過幾次約會才能弄清楚這個人的有趣之處，然後妳可能會發現妳真的被他吸引了。」

這讓我想起了喜劇團體「史提勒與米拉」的安妮．梅拉接受《紐約時報》採訪時說過的一段話，她談到自己三十多年的婚姻：「是一見鍾情嗎？當時不是，但現在肯定是了。」

他在大頭照上看起來很矮

到目前為止，結論似乎很明顯：第一次見面透露不出什麼訊息。但我打賭，如果《柯夢波丹》時尚雜誌刊登一則由初次約會故事組成的問答測驗，讓讀者猜猜哪段故事帶來美滿的婚姻、哪段故事最後婚姻不幸福、哪段故事根本沒有步入婚姻，一定會有許多人猜錯。以雀希和菲爾的故事為例。她本來甚至不想見這位後來成為她丈夫的男人，因為她用 Google 搜尋的時候，覺得他在大頭照上看起來很矮。

現年三十二歲的雀希在費城透過電話告訴我，她母親認識菲爾的媽媽，想要撮合他們倆。

「我媽說他是出身好家庭的優秀人才，法學院畢業，正在從事律師工作，」雀希解釋。於是她上他的律師事務所網站，根據兩英吋的大頭照判斷菲爾應該很矮。

「我媽說菲爾很高，我不相信，」雀希說：「因為她不在乎身高，一心想找個能夠成為好夥伴的人。我也想那樣，但我需要受到吸引，而我喜歡的類型是高個子的男人。」

同時，菲爾也抱持保留態度。「我媽說雀希聰明伶俐，拿到紐約大學碩士學位。她說她是不錯的人，眼睛很漂亮，所以我想那表示她的其餘部分，嗯……沒那麼好看。」

等到聖誕假期他們終於在家鄉的一場慶祝派對上見面。即使兩人的誤解都得到平反：原來菲爾的身高有六呎五吋！但他們都沒有心動的感覺。

「我覺得自己很傻，以為他很矮。」雀希說。「但兩人之間肯定沒有火花，我沒有那種，**哇，我想和他聊聊**的感覺。」

菲爾對雀希的感覺同樣冷淡。「她留著一頭大捲髮，那不是好事，看起來像貴賓狗。」

聊了幾句友好但沒什麼印象的話後，天生外向的雀希要了菲爾的名片。她認為菲爾是聰明正派的人，也許下次回來可以再聚。

「我對於兩人的進一步發展沒什麼期待，因為不只是彼此似乎沒有化學反應，而且兩人還住在不同的州，」雀希說。她當時住在華盛頓特區附近，而菲爾住在新澤西。「我確定沒有任何心儀的意思，但我想既然我們兩家人互相認識，他有可能變成朋友。」

後來雀希終於打給菲爾，結果這次的交談進行得意外順利。「如果她沒有打來，」菲爾：「我也不會主動聯絡她。」突然間，他們發現兩人互打長途電話已經持續了一個月。

菲爾每天都打給她，但雀希還是不認為兩人會發展成戀愛關係。「我只覺得他是非常優秀的人，我交了一個很好的朋友。」她說。

在某次連假周末，菲爾不知道自己怎麼想的，他去馬里蘭州探望母親，回家路上經過雀希住的社區，找她共進晚餐。這一次，兩人對彼此更有興趣，但還是沒有那種天雷勾動地火的感覺。雀希說，這種吸引力「更令人輕鬆愉快」。

「我們透過電話聊了大概一個月，」菲爾說：「所以我更瞭解她了。她也看起來更美了，但那是因為我更瞭解她的關係。」

「我也有同感，」雀希補充。「我們變成朋友，對彼此的吸引力也增加。如果我們沒有花時間去認識對方，我可能還是沒有任何感覺。」

在那之後，兩人每天都通好幾次電話，菲爾每個週末都會開車去華盛頓特區，儘管距離很遠。或許是因為這樣，雀希和菲爾曾開玩笑說，他們比住在同一地方的大多數夫妻聊得還多。

「找他總是聯絡得上，」雀希說：「這點對我來說很重要。我以前交過的男朋友雖然很有魅力，事業也成功，但我沒有得到他們的善待。他們不是體貼的人，雖然外表好看、工作不錯、出身良好，但都不是正派的人，態度傲慢。菲爾一直都對我很好，總是在我身邊。我從來不用擔心他會不會回電話，也不用擔心那些愛情遊戲。」

現在他們結婚了，看起來就像典型幸福快樂的新婚夫婦，但他們也立刻說，彼此都必須做出一些妥協。

「她是很棒的人，我把她視為真正的夥伴、平等的伴侶，」菲爾說。「同時她也很聰明，極佳的幽默感。我們相處得很愉快，她讓我變得更好且想要變得更好。但我也覺得她有時過於敏感，如果我有列出理想條件，這點也許不會列進去。不過我們會努力克服這點，因為我們真的有心去理解彼此。」

雀希承認自己太過情緒化，並說她很欣賞菲爾對她的耐心。如果她能改變菲爾的一點，那就是他沒有她希望的那麼「積極」。

「他喜歡A型人的我，因為我會記下所有帳單和需要完成的事情，」她說。「但我不喜歡他總是那麼懶散。在理想的世界裡，我希望看到他對事情能有一點緊迫感。有時很想在我額頭上貼便利貼，這樣他就能記住事情，不會拖延。但他也容忍了我，所以我們扯平了。我們是個團隊。」

菲爾和雀希擁有那種我渴望的浪漫能量：一搭一唱、體貼對方的弱點、彼此有足夠的安全感，可以對各自不太討喜的特質開玩笑。我想，要是他們當初沒有擺脫自己的第一印象，那會是多麼悲傷的事。

雀希也這麼想。「我告訴身邊的單身朋友，如果這個人相當可愛，看起來是個善良、聰明的人，即使對方不是自己喜歡的類型，或者約會很無聊，或者自己沒有任何感覺，也絕對要進行第二次約會。如果有人反對，我就會說，看看我和菲爾。」

第一次約會的三百個地雷

「**他不是我的菜**」、「**這次約會很無聊**」、「**我沒有任何感覺**」上述只是女人不再和這個人見面的其中三個理由。戀愛教練艾文．馬克．凱茲告訴我，諸如此類的理由多到離譜。

「我寄了一封電子郵件給女人們，因為我想知道男人在第一次約會時都做錯了什麼，」艾文說。「我以為會得到一份簡單舉出幾件事的清單：像是『**那個人沒付錢**』、『**對服務人員的態度差勁**』、『**沒有想了解她的生活**』結果她們回覆了三百件事！我甚至沒想過在第一次約會可能會做錯三百件事。做錯十件還有可能，但不會是三百件那麼多！

想像一下，妳必須有多挑剔才能舉出這麼多件讓妳不想再進行**第二次約會**的事情。」

「但她們舉出的事情像是『他不該用其他聲音說話，即使他是全世界最會模仿《王牌大賤諜》奧斯汀．鮑爾的人』、『他不應該說出沒有什麼事情能阻止他觀看重要比賽』、『他不該搭配棕色皮帶和黑鞋，或反之亦然』。我也寄了同樣的電子郵件給男人們，他們只舉出幾件不會再約第二次的事情：『**她不夠有吸引力**』、『**她不夠有趣**』、『**她不熱情**』。」

他指出，女性的問題似乎在於，我們沒有意識到自己只是在約會而已。正如艾文所說，「女人會想『他是不是我的終身伴侶』，這個標準比起只想『要不要第二次約會』高很多。如果男人覺得妳很可愛，且相處得愉快，就會再約第二次。據我所知，女性在第一次約會時的評斷標準比男性更嚴格。」

把好的約會對象與好老公搞混了

費城的諮商心理師麥克．布羅德博士和我談到特權問題，他說，這些不合理的期望從第一次約會就開始了。

「幾乎每個人都有認識那種婚姻美滿、但交往初期沒有什麼火花的人，」他說。「但很多女性在第一次約會時都說，『我需要有強烈的感覺，如果沒有，那就各過各的』，她們不想等到第二次或第三次約會再看有什麼進展。她們現在就想知道結果，對於那些不能立刻給人留下好印象的男人，她們沒有耐心。他要不就讓她眼睛為之一亮，要不然她不想再見到他。」

布羅德博士認為，女性經常把好的約會對象和好老公搞混了，反之亦然，把不擅長約會的人與差勁的丈夫混為一談。我們忘記了在第一次約會中那個表現笨拙、太安靜或不幽默的人，可能是因為喜歡妳而緊張，並不是因為他是個傻瓜。實際上，他可能會成為很酷的人，那個不會耍什麼約會花招讓妳驚艷的人，可能會是深情忠誠的丈夫；反過來看，那些約會技巧高超的人可能不會成為一位優質的丈夫。追求技巧不能拿來預測這個男人會成為什麼樣的伴侶，尤其是在第一次約會的時候。

這就是為什麼紐約市媒人學院的麗莎．克蘭彼特告訴我，如果客戶在第一次約會後猶豫不決，她會強烈建議對方進行第二次約會。她沒有要求客戶這樣做，但會事先向雙方明確表示，如果這次互動感覺「不好不壞」，那麼再試第二次絕對錯不了。有些人進行第一次約會時會很緊張，有時他們覺得自己只有一次機會，像是求職面試，太專注於爭取第二次約會，導致第一次約會時無法放鬆。但如果第二次約會已經確定，那麼第一次約會的互動可能會比較自然。即使第一次約會互動很自然，只是沒有火花（就像麥克和我），她覺得第二次約會的情況通常也會有所改變，一旦兩人見過面，對彼此的看法可能已經不同。

反之，如果第一次約會的觀感「超級負面」，克蘭彼特會來和她的客戶談談，瞭解情況。

「有些時候，我可以理解，」她說：「同時我也不希望她們不切實際，錯失良機。」

我問她會給我朋友什麼建議，她第一次約會的對象據說是帥氣、聰明、遊歷各地，但「不太會聊天」。如我朋友所說的，「這次約會有點像海龜湯遊戲，都會有幾個『接下來呢？』尷尬的停頓。她不想再去第二次約會了。」

克蘭彼特在電話裡嘆了口氣。「和別人第一次見面是想抱持什麼期待？」她問：「難道妳要期待剛見面就和熟識的人一樣感到舒適自在嗎？有時候，第一次對話進展得很順利，但通常要到第二次、第三次或第四次約會，互動才會開始變得自然。第一次遇見同事或新朋友時，即使初次互動不是特別令人興奮，我們還是會對他們持保留態度。那麼為什麼對潛在伴侶不是這樣呢？」

克蘭彼特表示，從初期的交流互動中看不出什麼端倪，所以她不會要求妳嫁給這個男人，只是讓妳和他再多相處兩個小時，看看你們相處得愉不愉快。

「愛情應該是隨著時間增加，而不是一下子漲到高點，」她說。「真愛是隨著時間培養出來的，關鍵在於學會信任、建立連結、共組家庭，無論有沒有小孩。所以我傾向一開始不要想太多而把話說死，尤其是女人，往往一下子就把別人淘汰掉。根據我的經驗，女性比男性更不願意進行第二次約會。」

克蘭彼特並不是第一位指出女人往往比男人挑剔的人。這是真的嗎？不只第一次約會的時候，而是普遍存在這種現象？我想起了女人舉出第一次約會男人會踩到的三百個地雷。這種挑剔程度似乎非常極端。

所以我必須弄清楚：女人真的比較挑剔嗎？

16 女人比男人挑剔嗎？

Are Women Pickier Than Men ?

「喔，得了吧，」我對紐約的已婚記者朋友凱爾說，我們正在討論挑剔的約會對象。我不相信他的理論，他說如果女人有基本的吸引力且身心正常，大多數男人會再給她一次機會。

他是這樣解釋的：「如果一個女孩子不會莫名其妙哭起來，或者服用太多抗憂鬱藥物，或者一直不停討論這段感情的細節，或者翻看我們的電子郵件，或者用 Google 搜尋我們前任女友的名字，對我們來說就是超級加分點了。就像是中大獎，錢錢進帳！Yahtzee 得分最高！成功達陣！」

他可能是半開玩笑，但也有事實成分：男性的要求確實比女性稍微低一點。

在二〇〇七年《時代》雜誌和CNN的一項民調中，百分之八十的男女受訪者都認為，自己終究會遇到完美的伴侶，但問到如果找不到「完美先生」或「完美小姐」願不願意與其他人結婚時，百分之三十四的女性受訪者表示願意，而願意的男性受訪者為百分之四十一。

紐約市媒人學院的麗莎．克蘭彼特對於這樣的調查結果並不驚訝。她的男客戶通常比女客戶的想法更開放，如果她請客戶將理想年齡上限從三十歲提高到三十五歲，男客戶通常會同意，如果她請男客戶考慮五呎二吋而不是五呎六吋的女性，他可能也會接受。

「男性願意開放接受不同的類型，女性則很難做到這點，」克蘭彼特說。「她們對於約會對象有很多規則，而且放不下她們心中的理想對象。」

麻省理工學院的行為經濟學家丹．艾瑞利研究過兩萬多名網路約會者，同樣發現女性比男性更挑剔。簡單來說，只要一個女人的外貌吸引力達到一定門檻，而且看起來親切友好，男人就會對她感興趣。男性沒有像女性那樣仔細分析約會對象的收入、教育程度、從事什麼工作、身高或種族等方面。

「女人在腦海中對另一半會是什麼模樣有一個更具體的想像，」艾瑞利告訴我。「男性的想法比較模糊，對於細節也不那麼執著。」

好吧，但那是關於最初的吸引力，一旦進入戀愛狀態，我知道有很多男人因為某些我認為站不住腳的理由而拒絕女人。四十五歲的銀行家班告訴我，他曾因為對方腳踝太粗而和某任女友分手，另一個是因為他們對傢俱的品味不同（「我覺得我們在打造共同的家方面永遠無法達成共識」他說），還有一個是因為他們「太像了」，信不信由你。

太像了？

他解釋：「我們在一起很開心，但我最終發現到，我們沒有足夠的差異能讓這段關係長久地走下去。」我問班，那麼女友們對他可能會有哪些不滿意的地方，他舉出幾個，例如，對於她們的事情缺乏關心、做事經常拖拖拉拉、放任自己的身材「走樣」（他卻無法接受女友的腳踝？）。

另一位長相俊俏的律師也曾和兩任他非常喜歡的女友分手，原因是在晚宴上：一位太健談（「她會主導談話」），另一位太害羞（「我總是覺得有責任替她將對話維持下去」）。他似乎沒有意識到，將來結婚生子，就不會參加那麼多晚宴，所以重要的是他喜歡妻子一對一陪伴的程度。

「我在尋找恰到好處的平衡，」他解釋。「有點像《金髮女孩與三隻熊》。」（我想女人不是唯一相信童話故事的人）

聽我分享完這些故事，艾瑞利說：「這個嘛，有時候不只是挑剔問題，更可能與親密關係問題有關。男女都可能有親密關係的問題，但一般而言，在心理素質健康且有結婚意願的人當中，女人的決定會比男人更精打細算，而讓男人墜入愛河的條件較少。問男性和女性願意和多少人約會，女性給的比例會少很多。為什麼？與進化因素有關，但我認為也存在文化因素。」

他說，從進化角度來看，女性必須嚴格挑選，因為她們需要有人幫忙養育孩子。然而近年來，文化標準似乎讓女性變得異常挑剔，條件不只是像收入和優良基因這樣與孩子有關的事情。為了確認這點，我問了幾十位女性她們想要什麼伴侶，得到的回答通常是：有魅力、風趣、聰明、善良、經濟穩定的人。但我若再深入追問，她們也希望（實際上是**要求**）伴侶情感活躍，是一個會傾聽她的心情並分享自己感受的人，就像她們的閨蜜一樣。我詢問為什麼，其中幾位解釋之所以想要情感豐富的男人，是因為她們認為這表示對方是體貼且深思熟慮的人。

這樣聽起來合理。但男人難道不也渴望一個體貼且善解人意的伴侶嗎？艾瑞利表示，說是也對，說不是也對。他認為男性往往以不同角度看待情感的豐富性：對於許多男性而言，情感豐富的女性似乎過於神經質且難伺候，女人眼中的情感豐富，可能是男人眼中的情緒不穩定。

三十三歲的瑪莉莎承認自己「情感多元」，她認為艾瑞利是對的。

「有人說，男人滿足於那些沒有挑戰性的女人，」她說：「但那是錯的，我認為那才是許多男人想要的對象：隨和的妻子、愛慕丈夫的妻子、不必費盡心思呵護和伺候的妻子。一個不會想太多的妻子，這點讓男人看起來好像沒那麼挑剔，但事實是男人沒那麼挑剔，還是男人和女人想要的根本不同？」

一次滿足所有需求

我訪談的男士也這麼認為。他們覺得女人往往期望很高，而男人無法樣樣都滿足。紐約記者凱爾表示，他還在約會的時候，女人既想找到身材高大、富有的對象，又希望男方在情感方面表現得跟好姊妹一樣。

「女人希望她們的男人同時具有同志和直男的特質，」他解釋。「這讓男人感到很沮喪和不滿。直男不想像男同志那樣討論時尚或挑剔別人的性格小缺點。」

這讓我想起了某天晚上我和一個閨蜜的對話，當時我說，我想要她和她先生擁有的那種感情，他們看起來是戀人和最好朋友的理想組合。

「其實，」她說：「我最好的朋友是妳。」

她的解釋是這樣：「如果把我和妳聊的話拿去和我先生聊，哪怕只有一半，他都會覺得無聊得要命，不想聽下去，接著我們就會因為他不想聽我講話而大吵一架。況且與其天天嘮叨他，還不如向妳訴苦！」

我覺得疑惑，問：「如果我是妳最好的朋友，那表示妳先生不是囉？」

「或許。」她笑了。「但我還是愛他勝過愛妳。」

她說，自己幾年前還分不出其中的區別。後來有一天，先生不像她那樣對情感話題感興趣，她很沮喪，才突然有所領悟。「我想，即使是我們最好的朋友，也滿足不了我們所有的需求。這就是為什麼我們會有很多個好朋友，不是只有一個。既然這樣，那為什麼先生非得是一個滿足所有需求、共享所有興趣的超級好朋友呢？誰受得了這樣的壓力？」

她認為這是許多單身女性應該學習的課題。

我也想起了我的朋友安迪，這個「溜走的男人」之一對於他太太的說法。

「我認為大家太強調『一次購足所有需求』，」他告訴我。「我可以在辦公室從自己的工作中得到熱情，或從偶爾打電話聊天的朋友那裡獲得強烈情感；如果我和伴侶可以擁有這樣的情感當然是很棒，但我在辦公室的時間、和朋友相處的時間已經充分滿足這些需求。」

我問他是否認為這段感情是將就。「絕對不是，」他說。「她擁有很多我喜歡的另一半特質，而且我厭倦了尋找她所沒有的東西。」

與我談過的大多數男士似乎都務實地看待一個人要完全滿足另一個人的侷限性。正如我在洛杉磯酒吧採訪的那位訂婚男科特所說的：「男人不在乎女人會不會一起觀看美式足球賽，但如果男人不想聽她們聊讀書會的事情，女人就不會嫁給你。」

我開始這樣思考這個問題：男人和女人都必須妥協才能找到伴侶，只是他們妥協的方式不同。對已婚男性而言，最大的妥協是性方面的一夫一妻制；對已婚女性而言，最大的妥協是沒有情感上的一夫一妻制，換句話說，就是妥協於沒有一個全方位的情感連結，並且需要在婚姻之外獲得其他情感連結。這是必須接受的事實，一個人不可能提供大多數男人一開始就不想要的那種情感強度。

我可以不挑剔，理論上

安妮三十四歲，現在又開始約會了。過去三年，她嫁給了一位英俊、聰明、風趣、充滿新鮮感的男人，他是一個非常棒的男朋友，但結果卻是一個差勁的配偶。如今回想起來，她覺得是自己忽略了那些警告信號。她以前總是挑三揀四，現在離婚後，她試著換一種約會方式。

「最大改變是，我雖然還是希望對方可以讓我有正面的感覺、覺得他有趣，但不必是像那種『從未有過的感覺』或『觸電般酥麻的感覺』。之前結婚的那個對象就是這樣，所以我知道這種感覺會誤導別人。」

她說，現在她意識到其他特質更重要。

「我現在嘗試多欣賞善良和良好陪伴的特質，」她跟我說。「這些是非常基本的條件，但過去我都沒有關注這些。我只想找一個相對聰明、非常善良、經濟穩定、現在想成家的對象。我會重新評估外貌素質。我相信這樣是對的，雖然有時候還是會走回以前的老路。」

她說最近有一位已婚朋友想介紹自己先生律師事務所的律師給她。她看了一下對方的Facebook頁面，雖然覺得好看，但不喜歡他寫的內容。

「上面是那種典型的企業律師簡介，」安妮說。「我想，啊，好無聊喔。我朋友沒說他是蠢蛋，但也沒說他有趣。她跟我說『去見他沒什麼壞處啊？他是很棒的人。』但我心想，要和這個人閒聊什麼？辣鮪魚捲嗎？每個人都說我需要改變心態，何不去看看我們相處得是否愉快？」

我問安妮，如果幾年後她還是單身，卻**因為當初不喜歡那個人的簡介**，所以連第一次約會都不肯去，她會有何感想？

她思考了半晌。「等到我三十五歲，如果這個男人還單身，我會跟他約會嗎？我不確定，我還沒走到那一步。但如果再過兩年我還是不想，那麼我會認為是**我的**問題，而不是我試著尊重自己的原則，那只是我在自我破壞。」安妮說，促使她改變的不只是生理時鐘的關係，還有她大多數朋友都有幸福的婚姻，所以她也想得到她們所擁有的。

「我想和某人共度餘生，」她說。「所以我知道這表示我必須放棄一些幻想，每個人都要妥協。理論上，我完全同意擇偶不該那麼挑剔，但實際上我很難做到。」

與安妮一樣，三十九歲的喬瑟琳也是理論上同意而已。

「我不是一個為了等待完美結局可以獨自生活的僧侶，」她告訴我。「我知道人生並不完美。但我知道自己想要的對象必須要有一定的情感深度和洞察力，如果不能和一個真正欣賞我細微之處的人在一起，我就不會有長期交往的意願。」

戀愛教練艾文．馬克．凱茲說，他接觸過的大多數女性一開始都像安妮和喬瑟琳：**我控制不了自己被誰所吸引**。**我想要妥協，但我就是做不到**。艾文對這些女人說：「可以，不要妥協。如果別人為了一段美滿的感情『妥協』，而妳還一直追逐沒有幸福結局的夢想，那也不必太驚訝。」

女人想要更多

丹佛的離婚訴訟律師艾德拉．波林跟我說她觀察到的情況：「女人不滿意是因為她們總是想要更多。」例如，她們想要更多的浪漫、更多的家務協助、更多的激情，有些人甚至想要她所謂的「更好的收入創造者」。她說，當然也有中年危機的男人提出離婚，但更多情況是女人想離開，讓男人感到困惑。

「這些男人會覺得：沒人跟我說過我們有問題，我以為一切都很好。」她解釋。

也許這就是原因之一，根據羅格斯大學全美婚姻計畫發布的離婚報告，三分之二的離婚由女方提出。波林說，女人常常期望另一半能滿足「所有事情」，然後又覺得缺少了什麼（例如她們的靈魂伴侶）。

三十六歲基斯告訴我，妻子一年前提出離婚時對他說：「我愛你，但對你沒有戀愛的感覺了。」

原來她「愛上了」別人。

「我有企管碩士學位，在電腦安全領域有一份不錯的工作，有飛行員執照，有自己的房子，身材也還不錯，並自願提供高中同等學歷GED課程教學服務。我上教堂。我不像那種變幻莫測的雲霄飛車類型，我的工作是謹慎管理風險，我不是讓人興奮的羅密歐。這就是前妻離開我的原因。」

我詢問賓州州立大學研究離婚夫婦的社會學家保羅．阿瑪托，為什麼女人會這樣？

他跟我說與性別在期望上的差異有關。他研究的女性經常說她們相信婚姻會改變，變得更令人興奮或更從容。因此，她們認為問題出在丈夫身上：她們認為**先生**變得無聊乏味，但實際上與約會時期的浪漫相比，無聊的是婚姻。

我問了一些男士他們對婚姻的期望。三十九歲並結婚四年的艾力克斯說，沒有期望中的完美嬌妻也沒有關係，因為他深愛著他的另一半。

「我想要我的妻子在日常生活上不要那麼緊張，」他說。「希望她能更包容我做事的節奏較慢。我也希望她更年輕、更性感，但在長期的關係中不是本來就無法事事如願的嗎？」

三十四歲的葛蘭姆目前處於認真交往狀態，他告訴我，雖然這段感情中總會有些他希望改變的地方，但大部分問題都不足以構成分手的理由。他以前不考慮交往的對象都是涉及價值觀不同的問題，如：職場目標、金錢、安全、宗教信仰、對未來孩子的教養方式等。他從未因為這類的事情與前幾任女友分手：「我希望和喜好相同的人在一起，例如運動、同類型的音樂或戲劇；我希望她喜歡健行；我希望另一半在孩子出生後也能繼續提供經濟支持；我希望和嬌小的人在一起，這樣可以在做愛時將她抱起來；我希望另一半的做愛頻率和我一樣；我希望和一個願意來我布魯克林公寓的人在一起，這樣我就不必一直待在她曼哈頓的住處。」

聽他敘述的期望清單，我想起了所有我認識的女性，如果情況對調，她們會毫不猶豫和男友分手：他和她沒有共同的興趣、他賺的錢不夠多、他比她更渴望做愛、他不想去她的公寓。然而，這位男士接納了這些事情。

葛蘭姆的現任女友絕對不完美，但他覺得為了那些小事分手太過挑剔。他女友不擅長運動，也不喜歡運動；她的身高比他期望的更高；有些潛在的性生活問題需要解決；

她可能在葛蘭姆覺得沒必要大驚小怪的情況下反應激動。

「我會繼續交往下去，」他說：「因為我認為重要的東西似乎就在那裡。她很開朗機靈，我們相互吸引，一起歡笑，一起歌唱。我們有相似的價值觀，彼此相互尊重並欽佩對方。」

傑克，即將結婚的三十歲網頁設計師，他告訴我，十年前向大學最好的朋友表白被拒絕時，他感覺很糟，但聽完她多年來的戀愛故事後，傑克發現問題不是針對他個人。他見過對方因為一則訊息（「一個月都沒有醫療保險！未免太不負責任了吧？」）、一句話（他說了「所有和我約會過的女孩」）或一個她不喜歡的綽號（「他居然叫我『哥們』」）而拒絕別人。

「我喜歡和她的友情，但誰會想和這麼評頭論足的人約會呢？」他問。「她總是指出男人的毛病所在。」

我以前也犯過這樣的錯誤，但現在我有了相反的問題：當你不能完全指出毛病時會發生什麼？在和麥克的第二次約會後，我就一直在想。我需要和艾文談談，我需要弄清楚什麼才是真正重要的。

「愛是種理想，婚姻是種現實，分不清理想與現實從來就不能全身而退。

——歌德（*Goethe*）」

PART 4

真正重要的是什麼？

What Really Matters

17 戀愛培訓課　第四堂：想要與需要

Mondays with Evan　Session Four : Wants Versus Needs

與艾文的第四堂培訓課中，我告訴他關於和麥克約會的最新進展。

「真希望我能說我在第二次約會時更喜歡他了，」我繼續解釋。「真希望他的各種優點，外貌出眾、友好、善意、年齡相仿、是個好爸爸、且想要再次結婚，足以打動我。但我做不到。」

這與他是不是阿法男無關，我基本上已經放下這個想法，反而問題出在我們沒有更多的共鳴。不只是這兩次約會，我告訴艾文，即使經過幾封電子郵件往來和幾通電話，除了對親職身分的熱愛，麥克和我沒有其他共同點。我知道，這也是很重要的一點，但除此之外，我們的對話感覺很勉強，而且每次交談後，我們並沒有建立更緊密的關係，反而漸漸無話可說。兩個明顯格格不入的人，能夠寒暄的話題也就那麼多而已。

我跟艾文說了我在網上找到另一個人。和麥克一樣，瑞克也是離異的父親，同樣是關心孩子的家長。從他的個人資料和幾封電子郵件來看，他似乎很有趣，看起來個性風趣、喜歡自我解嘲、是看起來學識淵博的歷史教授。我們輕鬆地寫信往來，彼此能理解對方所說的，我們似乎有相同的觀點和生活方式。雖然也有一些不利的因素，他已經五十歲了，看上去和他的年齡差不多；他的孩子十幾歲，而我有一個兩歲的孩子。但這些都不要緊，我試著不再那麼糾結細節，並對我們之間的默契感到興奮。他要求用電話交談，我給了他我的號碼。

那天他打給我，但我不在家，所以他留了言。然而，我還沒來得及回電，他又打了三次。並不是說我看了來電顯示，發現他打來沒人接就掛了那種，我的意思是指，他真的在五個小時內對著我的語音信箱說了三次話，彷彿這是再正常不過的行為，「嗨，我是網上的瑞克！看看我們能不能聊聊。」然後留下他的電話號碼。每一次都這樣。

我收到他的留言時已經是深夜了。本來我打算第二天下班後再回撥，但白天的時候，瑞克又打了三次電話，三次！而且其中兩次，他留下相同的訊息。「嗨，我是網上的瑞克！我想我又錯過妳了。希望收到妳的回覆。」前一天我還以為他可能是太緊張或過於熱切，姑且相信他沒有惡意，但現在我只覺得他有點詭異。誰會在**二十四小時內**給素昧謀面的人打**六次**電話？我沒有回電話給他。

幾天後，我走出門前接到電話，是瑞克打來的。「嗨，我是瑞克，」他若無其事地說，彷彿我們是老朋友，我馬上認出他是誰。「最近好嗎？」我解釋自己正要出門，不過晚點會再打給他。那一刻，我真的想再給他一次機會，但幾個小時後，我回到家，看到他又打電話來，然後在語音信箱裡掛我電話！我覺得實在太奇怪了。

我告訴艾文：「他給我的感覺就像是跟蹤狂，或者至少是一個對社交互動沒有基本概念的人。」

艾文同意那個人的行徑十分可怕。「我聽到女人最常見抱怨的問題之一是男人不夠關注她們。但當男人給予過度的關注，打太多次電話、太早打電話、或者表現得太過興奮……女人會反感。我通常鼓勵女性多給那些笨拙的男性一些寬容。但包容笨拙的人不等於要和怪咖約會。」

終於有一個情況不是因為我太挑剔了。

恨鐵不成鋼

好吧，我不想跟怪咖約會，但也希望和比麥克更有默契的人約會。我認為這個要求不過分，可當我說出回覆一位戴著粉色圓點領結的房地產經紀人的電子郵件是浪費時間時，艾文嘆了口氣又搖搖頭，像是對懶惰學生感到灰心失望的老師。然後，他看著我的眼，這是自我們開始上課以來，他第一次完全失去了耐心。

「妳每週都聽我在講，但都沒在改！」他的嗓門拉高到幾近吼叫的程度。「除了過去二十年來一直接收的觀念，妳不願對任何事情敞開心胸！妳就像一個想要減肥卻不改變飲食和運動習慣的人。他們會說：『但這是我**喜歡**吃的東西耶！』然後他們的醫生會回：『好吧，你繼續吃，但減重就不用想了！』如果想要不同的結果，妳必須採取不同的行動。浪費時間不是寄電子郵件給像這樣的人，浪費時間是不去寄電子郵件給像這樣的人。他會是命中註定的那個人嗎？不知道。但這就像是樂透，其中一個可能會是妳喜歡的人。而妳永遠不會發現，因為妳已經浪費了所有時間不給任何人機會！」

哇。我們倆靜靜地坐了幾分鐘，我覺得自己像個白癡。我一直以為自己在改變，實際上只是在腦子裡改變，**行動**上卻沒有太大的變化。現在，我四十一歲，單身，多年來一直以糟糕的理由拒絕好男人，像安迪、傑夫、謝爾頓以及史考特這樣的男士。現在即使有個符合我諸多要求的男人，寫了一封非常聰明的電子郵件，並可能對像我這樣的人感興趣，儘管我也有自己的精神包袱和缺陷，我卻不會寫信給他，只因為他的職業（賣房產對我來說像會計一樣無聊）和他穿的衣服（那個粉色圓點蝴蝶領結！）。

我打破了沉默，開始在鍵盤上打字。艾文坐在旁邊看著，我寫封短信給領結男。按下傳送鍵後，艾文說我應該從詭異跟蹤狂事件中吸取教訓，個人資料看起來不錯的人可能結果大失所望，就像妳不喜歡的類型卻很有吸引力一樣。

「在妳和他們建立穩定關係之前，他們都不是真的，」艾文說。「妳總是把一些東西投射在他們身上，現在，停止在妳腦海裡勾勒出理想對象，因為真正的人不會像妳想的那樣。」

這就是為什麼，每當我對拒絕見哪個看起來太嚴肅或太老的對象時，艾文都會說：「這只是一次約會啊！」每當我說哪個對象住在一小時車程遠的地方不太理想時，艾文都會說：「沒有完美的啊。人總是期待完美，卻錯過了與對的人相遇的機會。即便妳認為是完美的，最後也未必是完美的，所以完美並不存在。放棄對完美的追求吧。」

回到與麥克的問題

我願意放下所謂的理想，但這究竟意味著什麼？麥克是個好人，和我處於相同的人生階段，也在養育小孩。他外貌俊俏且可靠，但整個人的氛圍和我截然不同，我們很難找到話題。我天生具有強烈的求知慾，他卻是生性悠哉步調慢，我們沒有共鳴。

「我認為想要思想上有共鳴而且愛家的父親並非不合理的要求，」我對艾文說。「我有些朋友的先生就是這樣，所以不是不可能的事。」

「沒錯，」艾文表示同意。「如果這兩件事是絕對需要的，那麼妳應該尋找這種類型。但妳也不能因為對方戴著粉色蝴蝶領結，而否定一個具有愛家父親特質和思想上有共鳴的人。妳不能什麼都想要。」

我不認為我「什麼都想要」，但艾文要我列出我的「需要」，而不是「想要」的時候，我想出了十四項。艾文對我說，如果我想務實一點，應該把這份清單縮減到三項。

我很驚訝。只能三項嗎？

「釐清『需要』和『想要』之間的差別非常重要，」他解釋。「如果妳有十四項『需要』，那表示如果對象只符合其中的十三項就淘汰了！即使他符合大多數的條件，妳也要記住，很多好的特質也會變成壞的特質。非常聰明、分析能力強的人，也可能是固執己見、自以為是的人；隨和的人也可能是沒有意見或懶散的人。」

他跟我說了一個客戶的故事，這位客戶曾經被一個充滿魅力但害怕承諾的男人傷透了心。後來她準備再次開始約會，她上了網並篩選一些收到的回應，其中一個對象讓她想起前男友，引起她的興趣。於是他們出去約會，男方承諾會再聯絡她，結果都沒打。

但另一個人打電話約她出去了。「在她看來，他不是這些對象中最有吸引力的，」艾文說：「但男方一直約她出去。每次我的客戶和他約會，都玩得很開心。但她又會向我抱怨，說對方不是她要找的人。」

她覺得他太矮了，體格不夠壯碩。但他符合她的**需要**：體貼入微、可靠、價值觀與她相符、生活方式也相似。區分出自己的想要和需要之後，她墜入了愛河。她認為自己想要的是迷人、有男子氣概的對象（也許某程度上她仍然**想要**），但她需要的是幽默、體貼、可靠、有相似目標和價值觀的對象。

艾文說，她的故事有點像是一個被開除的人，原以為自己人生已經結束，後來卻發現這是讓她創造夢寐以求人生的絕佳機會。當然，她不會自願選擇被開除，她認為那不是自己想要的，可是結果卻比她想像中更快樂，因為開啟了她以前從未考慮過的可能性。

這也是為什麼很多已婚人士會說：「若是在約會網站，我不會選到自己的另一半」，因為他們目前的伴侶並不是一開始原本想找的人。當然，直到他們遇見另一半後，想法就改變了。

縮小需要的範圍

「妳想要的不一定適合妳，」艾文說。「在追求妳認為自己想要的人時，會忽略妳真正需要的東西。」

但弄清楚妳需要什麼東西並不容易。他說，區分想要和需要似乎讓人困惑不解，有時我們的願望甚至會自相矛盾：我想要一個很有主見的人……但從不爭辯。我想要一個率性而奔放的人……但有穩定的工作。

艾文說他有位男性客戶也不知道自己需要什麼。這位男士年約四十，聰明、事業成功、結婚意願強烈，他想要一個聰明而成熟，然後脾氣隨和且身材苗條的人。他出去約會後，開始抱怨那些身材好的年輕女性往往不太成熟，與他處於不同的人生階段，但聰明的企業律師有點太苛求，比較成熟的女性通常沒有他喜歡的年輕體態。

怎麼克服這個問題？區分自己的想要與需要。艾文舉了幾個例子：

想要有創造力的人

需要可以信任的人

想要一個同樣熱愛爵士樂的人

需要一個可以欣賞自己某些興趣的人

想要一個有運動細胞、體能好的人

需要一個能夠接受自己最差一面的人

過了幾分鐘，我終於把需要伴侶具備的特質縮減成三項必要條件：求知慾強、善待小孩、經濟穩定，就這樣。

當然，這些並不是我在伴侶身上尋找的所有特質，但會是我在第一次約會時刪除對象的僅有基準。換言之，只要符合這三項條件，即使對方戴著蝴蝶結領帶，我也不能拒絕第一次約會。

既然釐清了我的需要是什麼，艾文指出，這就說明為什麼麥克和我的關係逐漸變淡。他善待小孩毫無疑問，但求知慾不夠強，而且作為一位撫養兩名孩子的自由顧問，他必須不斷地接案來維持生計，所以經濟穩定性存疑。他有許多優秀的特質，但只滿足了我三項必要條件中的一項。對於其他三項必要條件不同的女人來說，他會是個不錯的對象。

能這樣區分感覺很好，我知道這不是一套魔法公式，但似乎比我平常使用的「我對他感不感興趣」更好，而且肯定比一份列出十四項「必要」條件的清單更好。

我感覺情況終於開始有點好轉。

那天晚上，戴著蝴蝶結的房地產經紀人回信了，我得到更多消息。他是一位有八歲兒子的四十六歲鰥夫，「房地產」指的是他設計房屋並銷售它們，似乎對自己的工作充滿熱情。他身高五呎六吋，頭髮稀疏，但電子郵件的內容很風趣有想法，儘管沒有接受過高等教育，但他看起來閱歷豐富又聰明。他提議我們透過電話聊，但我想更進一步，如果他求知慾強、是個好爸爸、而且經濟穩定，那麼在答應和他第一次約會以前，我還需要知道些什麼呢？何不直接見面呢？

也許看起來沒什麼大不了的，但對我來說感覺就像邁進了一大步。在那些第一次通話的經驗中，我犯了很多錯誤，草率得出各種沒有幫助或不準確的結論。麻省理工學院行為經濟學家丹．艾瑞利警告過我，這些電話是多麼地誤導人：如果通話進展順利，會讓妳產生不切實際的期望，或者通話進展不如預期的話，會讓妳婉拒約會。

因此，本著要在行動上做出改變的精神，我提議不如兩人碰面聚聚，不是喝咖啡那種可以二十分鐘內迅速進出的地方，而是午後健行，那樣我可以和對方聊上幾個小時。我沒打算在約會中對他進行面試，我只是希望有個愉快的約會。

我們把約會訂在下星期二。噢，真是不可思議，他的名字是謝爾頓！我的意思不是他真的叫謝爾頓，而是他和先前被我稱為謝爾頓的那個人同名。我感到驚訝，甚至很高興。因為這一次，我沒有用主觀意識去評判別人，反而覺得宇宙給了我第二次機會。

我決定叫他「謝爾頓二號」。

想結婚的丈夫

我告訴我的朋友美琪關於「謝爾頓二號」和我如何把「需要」縮減成三項條件的事情，她說她最近也和未婚夫經歷了這個過程。

「我媽曾經說過，找丈夫要找一個想結婚的人，」她說。「尋找那些嚮往婚姻生活的人。我記得當時我覺得這樣未免太不浪漫，畢竟，難道我不值得讓一個人願意承諾終生嗎？難道我不是天生就很出色嗎？當然我也相信其中必然有些道理。」

和我一樣，美琪二十多歲的時候，大半時間都在尋找一種強烈的契合度。她在一段長期的關係中找到這種契合度，對象是一位年紀較大的男人，從很多方面來看他們相當般配，都是才華洋溢的電影製作人。但隨著兩人交往越來越多年，他們想要不同生活的跡象卻越來越明顯。

「分手的時候，」她說：「我很震驚，因為當時我以為愛可以征服一切，但它無法征服對於生活理想的根本差異。」

然後，三十歲那年，她遇見了威爾。

「他看起來完全不像是我會交往的人，」她說：「大約有六個月的時間，我都和他保持一定的距離，因為他不符合我想要的『標準』。他是一個科學家，前面三個月根本不知道他從事什麼行業，樣子簡直是個邋遢的大學生，第一次見到他時，他已經六個月沒剪頭髮了，公寓裡還沒有真正的傢俱，全是牛奶箱和一個床墊。他真的很害羞，不會講什麼幽默的笑話。」

所以威爾沒有滿足她「想要」的某些條件，但她告訴我，他滿足了她的核心「需要」：①他很有趣，而且求知慾旺盛 ②他們有共同的價值觀和目標 ③他是值得信賴且忠誠的人。

與此同時，她說：「我發現我們之間的其他差異都很有趣，值得探索。」他們剛在一起時，兩人沒有太多共同的興趣愛好，但在介紹新事物給對方的過程中獲得很多樂趣。現在她會和威爾一起騎越野登山車和健行，威爾也喜歡和她一起觀賞戲劇。而他們在實際問題上也有共識：「值得慶幸的是，我們對於金錢和孩子方面的觀念大致相同。我認為這兩件事是挑戰兩人相容性最重要的外部因素，所以我很高興，我們從一開始就有共識。」

美琪最終達到了想要和需要的幸福平衡。她在三十歲出頭時就學會了一些我在四十多歲才開始學習的東西：「愛」不能脫離實際問題，如果想找到一段幸福的關係，就必須學會如何考量這些實際的問題。

但是，在尋找愛的過程中，我們應該要多實際呢？

18 愛的經營之道

The Business of Love

我和美琪談完後不久，一位名叫約翰．柯蒂斯的人主動寄他的書來給我。封面是一個心形圖案被股票走勢圖案切成兩半，正上方印有一段引自《紐約時報》的評語：「這本引人入勝、具有開創性的著作或許是十年來必讀的兩性書籍！」

這本書叫做《愛的經營之道：提升你們關係的九種最佳實踐方法》（The Business of Love: 9 Best Practices for Improving the Bottom Line of Your Relationship），如果你從未聽說過這本書，別擔心，你不孤單。我打電話給柯蒂斯，他坦承在一本關於兩性關係的書中使用「經營」這個詞往往讓人興趣頓失。

「坦白講，我很難推銷這本書，」他從北卡羅來納州的辦公室說。「人們想要愛情柔軟的一面。他們盲目地進入關係，認為『我們如此相愛，所有問題一定都能迎刃而解。』然後，他們經常吵架，因為從來沒有坐下來討論勞務分工，或者如何分配他們的財務，因為這樣感覺不浪漫。然而，你們因為從來沒有花心思想出實際可行的作法，而爭執不休，這種情況又能有多浪漫呢？」

柯蒂斯這本書教導伴侶如何為他們的關係創造一套願景聲明，概略地敘述在各個方面（家庭、財務、休閒活動、職業）的具體目標，制定他／她的工作職責，並決定薪酬和福利。柯蒂斯說，婚姻一直是一種社會經濟夥伴關係，只是從六〇、七〇年代以來，社會期待開始轉變。

或者如史蒂芬妮．孔茨在她的《為愛成婚：婚姻與愛情的前世今生》（Marriage, A History）一書中所說的：「夫妻是工作夥伴的舊觀念已經被靈魂伴侶的觀念所取代。」同時，她也指出，「把愛情視為結婚的主要理由，在歷史上很少見。」

這就是為什麼柯蒂斯認為，一個成功的婚姻光有愛是不夠的。「從許多方面來看，婚姻就像經營一家企業，誰負責煮飯、誰收拾毛巾、誰來付帳單、我們的預算是多少，兩個商人在不知道誰負責這個、誰負責那個，也不知道特定目標時間表的情況下，是不可能創業的。如果你正準備和某人建立夥伴關係，那麼早點坐下來，說清楚你們對於這段夥伴關係的共同願景，這樣成功的可能性更大。」

現在我明白了，當我選擇只和那些一開始讓我怦然心動的男人約會時（沒有考慮實際情況），我沒有意識到促成美好戀情的條件不一定是造就美滿婚姻的條件。根據已婚朋友的說法，一旦結了婚，想和誰一起去熱帶島嶼渡假就不是那麼重要，而是你想和誰一起共同打理家庭大小事。婚姻不是一場不停燃燒的激情盛宴，更像是合夥經營一個非常小而平凡的非營利事業。

他們說，這樣其實非常非常棒。生活上有一個可以信賴、志同道合的隊友，本身就是令人愉快的事，對大多數人來說，肯定好過一個隊友都沒有。

變老、發福、禿頭（反正他們到最後都會走樣）

如果這些聽起來很不浪漫的話，看一看身邊朋友的婚姻，他們每天過的平凡生活實際上比任何戀愛關係都還要來得浪漫。約會**看似**浪漫，但通常情況像是漫長的試鏡過程；婚姻**看似**無聊，但大多數情況是一種舒適和接納的狀態。約會是關於高調的浪漫舉動，但長遠來看意義不大；婚姻是關於細微的善舉，能在一生中維繫你們的感情，這是靜謐的浪漫。他泡茶給她，她陪他去看醫生，他們互相傾聽彼此的日常瑣事，互相包容彼此的怪癖，互相守護彼此。

「只是想要有個人願意與我並肩作戰，」四十一歲的單身友人珍妮佛對我說：「我以前從來沒有這樣思考過婚姻。」

我也沒有。在我快四十歲的時候，結婚多年的朋友蕾妮在一封電子郵件中提供了這樣的約會建議給我：

我想說的是，即使他不是你的畢生摯愛，也要確定他是在知識涵養上讓妳敬佩的人，能讓妳開懷大笑、欣賞妳……我敢打賭，在那些變老、發福、禿頭的男人（反正他們到最後都會走樣）中，肯定很多這樣的人。

當時，我以為她在開玩笑（她是認真的），但現在這段話聽起來很明智。在浪漫幻想中思考婚姻問題，就像一個天真的高中女孩和男友不慎懷孕，然後到處跟別人說「喔，我們深愛彼此，我們會搞定的。」在現實世界裡，愛並不能解決所有問題。

如果我年輕時思考得更實際一些，現在或許能和更適合我的人在一起，一個聰明、志同道合、同時也是稱職家長的伴侶。當然，我當時知道我想要這樣的對象，但同時我也想要其他十五個特質，這些不只是空想，甚至與我追求的那些實際特質對立。有一陣子，我的男朋友必須「具有藝術家氣質」和「跳脫傳統」，但這些人都沒有幫助我經營未來家庭的性格和能力。

現在我開始意識到，從如何約會開始，戀愛關係中幾乎每個方面都有需要實際考慮的問題。

白馬王子的價格標籤

有天晚上，我和一位已婚朋友做了一個計算，相較於已結婚一年的人，一位三十多歲女性約會一年的成本（包含經濟、時間、情感），計算過程如下：

假設妳單身而且想認識人。現在妳已經離開校園生活，所以一般情況不會像以前那樣經常遇到正在尋找對象、適齡的單身男性。妳可能在同個地方工作了幾年，生活圈鮮少出現新的單身男性，即使有人出現，他也不一定對妳有興趣，或者妳也不一定對他有興趣。妳可能在一個幾乎全是女性的領域工作：教育、社會工作、時尚、公關、營養、設計、募款、出版……等到妳超過三十歲，周圍許多人已經結婚，有些人甚至有了小孩，所以像派對或烤肉之類的社交活動比起二十幾歲時少了很多，單身的男性訪客也變少了。

考量到妳的社交生活可能多半是沒有結果的約會、短暫的交往關係和其他單身女性朋友聚會（通常是在討論認識男人有多難），妳開始意識到需要積極主動，妳註冊了線上約會服務一年（兩百美元）。妳在第一個交友網站毫無斬獲時，可能還會再加入第二個（兩百美元），妳每週花五個小時和別人通信和搜尋對象（成本：取決於妳的時薪加上所耗費的精神）。如果妳的生理時鐘已在倒數，又想全力以赴，妳可能還會聘請媒人（從五百到幾千美元不等）。

妳需要在第一次約會時看起來亮眼迷人，所以要考量衣櫃裡的成本：裙子、長褲、襯衫、背心、外套、鞋子、包包、夾克、珠寶飾品。妳必須為各種場合做好準備，從精緻典雅的餐廳到波希米亞風格的咖啡館，再到籃球比賽或午後健行（一年四季，六套衣服要一千美元）；每兩個月需要修整頭髮（六次，加上小費要四百五十美元），邁入三十幾歲初老的妳，可能還需要染髮遮蓋花白的髮根（四次，四百美元）；妳需要蜜蠟修眉，到了三十五歲左右，妳可能還需要用嘴唇蜜蠟來除去停經前快速生長的上唇汗毛（每個月二十五美元）；化妝品和護膚用品也不便宜（一年三百美元）；有些女性愛上了美甲（一次十五美元）、足部保養（二十五美元）、做臉（五十美元）、甚至牙齒美白（六百五十美元）。每次約會都要在交通上花一個小時往返、一個小時著裝、實際約會兩個小時，而且對我們其中一些人來說，還需要一個小時的心理諮詢來討論單身多麼令人沮喪（每回一百美元）。

現在，假設妳很幸運遇到了一個妳想要約會的人，我稱他布萊德。妳和布萊德有「化學反應」！他聰明、幽默、有魅力、時髦、喜歡的音樂和妳一樣。突然間，妳的衣櫃成本增加了（總不能老是穿第一次和第二次約會的服裝），阿嬤內褲登不了檯面，所以妳必須添購內衣和內褲（即使在 Target 商場，我們抓個一百美元的預算，妳也需要來個幾套）。如果妳已經超過三十五歲，地心引力影響更大，所以妳可能不得不花大錢買件提胸效果極佳的奇蹟胸罩（每件五十美元），妳的除毛費用也更高了（不只是修眉而已）。

接著，兩個月後，布萊德的生日到了。你們對彼此都很動心，妳希望他有個很棒的生日，妳要嘛做頓晚餐給他（食材五十美元、酒水五十美元，加上花了很多時間採購、備菜和料理），不然就帶他去某個地方（一家高級餐廳、一場音樂會，這些費用都不便宜），再買顆蛋糕和一份禮物（一百美元）。你們繼續交往，妳也就繼續購物、除毛、足部保養。很快到了聖誕季節，同樣，妳買禮物給他（七十五美元）……你們在一起的時間越來越長，等於妳在這個年紀、美貌依舊、生理時鐘尚未倒數的時候，放棄了認識其他單身男性的機會。

但四個月後，這段戀情走不下去了。妳失去了興致，他也沒了那個心情，最後，你們分手了。現在妳必須重新開始，所有的時間、金錢、情感能量和錯失的機會都浪費在又一段以失敗告終的戀情上。

截至目前為止的總花費：沒接受諮商的話是兩千美元，有接受諮商的話是三千六百美元。

所以妳繼續回去認識其他人。妳在網站閒逛看看（已經付費了），妳讓朋友幫妳介紹對象（成本：時間、精力和羞辱），妳打算去酒吧（酒水十五美元、準備一個小時、往返交通一個小時、乾洗費四十美元，因為有人不小心把啤酒灑在妳的羊皮靴上），妳經常去那些可能遇到男性的地方：派對（帶去的甜點二十美元）、球類運動（門票二十美元，加上煩惱，因為妳根本不喜歡籃球）、攝影課（一百美元）、博物館開幕式（門票十元，結果發現在場的男人都是同性戀或已婚）、以及圖書館講座（同上）。

妳遇見了一個人！史帝夫並不是妳的夢中情人，他運動神經沒那麼好，妳也沒有感受到妳想要的那種化學反應，但他很可愛、善良、聰明、而且真心喜歡妳。妳投資了這段感情（付出經濟、情感、時間），妳見到史帝夫的父母、和他妹妹關係變親近、和他的家人相處很長時間。但五個月後，妳擔心他不是妳要找的那個人：「他就是不……」妳說不清楚，但妳確定如果遇到命定之人的話不會有這種懷疑的心情。所以，一切又要重頭來過。

三週之後，妳遇到了妳未來的丈夫！妳心想，這次感覺終於對了！妳繼續和那個妳確定是妳命中注定的人約會，但兩個月後卻發現他只顧自己、無知、傲慢、愚蠢、缺乏幽默感、遲鈍、刻薄、害怕承諾、或只是沒那麼喜歡妳。

一年後的總費用：沒有接受諮商的話是四千美元。接受諮商的話是九千美元，不過妳可能會馬上放棄諮商，因為此時連妳的諮商師也記不住妳所有約會對象的名字。

沉沒成本和機會成本

妳最後剩下的是經濟學家所謂的「沉沒成本」，指的是妳投入的時間、金錢和情感能量，但最終卻得不到任何回報的成本。好比每六個月租一間新的公寓，支付搬家費用、裝潢、把所有租金繳給房東，而不是投資妳購入的房子，在未來幾年累積資產。每段新戀情不僅會有啟動成本（金錢、時間，還有重新講述妳整個人生故事、透露妳喜歡的披薩配料及了解對方的生活資訊所耗費的精力），而且這些成本都無法轉移到下一段戀情。為了「更好的對象」而不斷約會，結果卻一直消耗妳的淨資產，除了變老和依然單身的巨大壓力之外，妳什麼也沒有得到。

也許妳會說，「等等，我有得到回報。我在那段戀情中成長了。」好，但是，在戀愛中一次又一次的成長，是可以和在一段務實但幸福的婚姻中成長相提並論的嗎？在二十幾歲的時候，分手主要是心碎和寂寞，但在三十多歲的時候，分手還會因為可能孤獨終老而焦慮。

當然，那些不能接受還不錯的伴侶的男性也有沉沒成本，尤其是如果他們支付更多的餐飲和娛樂費用。但是，不同於女性，他們不必承擔太多尋找「更好」伴侶的機會成本。妳花時間在一段失敗的戀情，等於失去了認識其他男人的機會，另一方面，男人卻沒有生育年齡的時間限制。此外，如果他們在一段毫無結果的戀情中過了六個月或一年的時間，也不會像三十多歲的女性那樣在約會市場中失去價值。若要說的話，男人在三十多歲時反而變得更有價值，即使他們在五十歲左右開始失去價值，仍然可以與年輕個十到十五歲的人相遇並結婚，一起展開家庭生活。

如同任何一位經濟學家所說的，一切都是供需問題。妳堅持等待的時間越長，單身男性的供應量就越少，同時市場對男性的需求上升，女性的婚姻價值就會下降。對女性來說，結果就像一個糟糕透頂的約會衰退時期。

單身漢拍賣會

二〇〇八年，馬克・吉曼在《石板》雜誌發表了一篇文章，用拍賣會這個比喻來解釋男性供應量隨著女性年齡增長而減少。假如約會就像一場拍賣會，你可能以為較強勁的競標者（更有吸引力的女人）會「得標」。但吉曼說，那些較強勁的競標者對於自己找到對象的能力很有自信，以致於出價太晚。當強勁的競標者在等待最佳標的物的時候，弱勢的競標者（不那麼有傳統吸引力的女性）因為知道自己的出價可能被超過，反而會更早、更積極出價。

那麼後來怎麼樣了？越來越多有魅力的男性被強勁的競標者拒絕，被弱勢的競標者帶離開約會市場。最後，剩下的是最沒有吸引力的男人（那些連最弱勢的競標者也沒有出價的人）和最有吸引力（但過於自信）的女人。

看完這篇文章，我想到了那些我認識的年長女性過去幾年所嫁的男人：一個四十多歲還在努力成名的臨時演員；有三個惡魔孩子的憂鬱鰥夫；把所有時間都投入在創業的工作狂，即便創業失敗也不考慮去公司上班。並不是這些男人沒有好的特質，也不是嫁給他們的女人瘋了。只是願意與熟齡女性約會的男性非常少，而且要求的條件也比年輕時願意和我們約會的男性所要求的更多。我們在年輕的時候，因為過於自信而沒有參加約會市場的競標，現在想找到一個合適的男人，就必須做出更多的妥協。

「那些有魅力的男人都去哪裡了？」吉曼寫道：「他們大多早早就結婚，有時甚至娶了那些最顯著特質不是美貌、激情或智慧而是果斷的女性。」

婚後一年

現在，假設三十歲多的妳不是單身一年，而是嫁給了一位很棒的人（並非什麼夢想中的白馬王子），這一年的時間，妳的成本是什麼？你們得共用一間浴室，但白馬王子也會尿在馬桶坐墊旁；妳可能不得不放棄一些獨處的時間，但在出入健身房、從事全職工作維持生計、去酒吧或派對尋找男人的日子裡，妳又有多少高品質的獨處時間？

妳還是會蜜蠟除毛、整理頭髮、買衣服，但每天可以穿著運動服紮馬尾，這些對一個內衣亂丟在地、當妳的面放屁的男人來說稀鬆平常。妳不必維持約會所需的外貌，而且身材體態隨著年齡增長更難保養，不僅是因為妳可能要靠繁重的事業養活自己，而且還要不斷地與更年輕、更有吸引力的女人競爭同一批男人。妳的丈夫可能希望妳仍像約會時一樣好看，但他已經愛上了妳一段時間，所以他會忽略妳的腹部毛髮。

如果妳已經結婚，生活會變得更加愉快，因為妳晚上可以賴在家裡放鬆，有個可以聊天的伴侶，而不是四處奔波，見陌生人並試圖展現自己的魅力和留下好印象。妳仍然會為節日和伴侶的生日做一些事情，也會去度假，但現在你們將擁有一生共同的回憶，這是妳所有努力和花費所換來的回報，值得長期經濟投資。即使妳每年花三千美元購買幾套衣服、美甲、除毛、理髮、週末度假和給丈夫的禮物，也是長期投資。如果妳想為那一年留下任何生活影像記憶的話，也就沒有什麼沉沒成本、機會成本、或需要把相冊照片剪成兩半（為了刪掉妳不再聯繫的男友）的成本。

而且別忘了：妳婚後所花的錢，實際上共屬於妳和妳的配偶。即使你們保有各自獨立的帳戶，也是兩個人共同維護這個家，所以妳的犧牲不像那些沒有經濟保障和伴侶支持的個人支出那麼大。這些支出都是低風險的投資。

我和已婚朋友完成了這個我們承認不太科學的計算後，從成本效益的角度來看，三十歲以上的已婚人士顯然比三十歲以上的單身人士更有優勢。當然，如果妳的收入非常高，是可以彌補沉沒成本，如果妳有個像德蕾莎修女般耐心的好朋友可以傾訴，是可以解決情感成本。但是，機會成本是無法避免的。

當然，最大的機會成本是，妳可能放棄了一個真正的好男人，結果最後一無所有。

錯失良緣

這是發生在艾蜜莉身上的事，當年她二十七歲，為了與強納森在一起，而與心愛的山姆分手，山姆是個溫柔、深情、聰明但不是特別「時髦」的科技男，強納森則是性感誘人的電影經紀人，和她有相同的興趣。兩年後，艾蜜莉的新戀情告吹，她發現原來山姆才是對的人。然而，山姆三十歲時，約會市場行情大漲，許多女性趨之若鶩，他沒有原諒艾蜜莉甩掉他，而艾蜜莉也挽不回他的心（她試過了）。三年後，山姆結婚，艾蜜莉錯失了良緣。

從經濟學角度來看，她的作法毫無道理可言。如果你的目標是財務穩定，你不會投資風險高、波動大的股票，因為那只是當週的「熱門」選擇。眾所皆知這些股票很少能成為好的長期投資選擇（就像「熱門」男人往往不像他們表面上看起來那麼出色）。

但我們許多人仍不顧一切賭上自己的命運，因為我們相信一切可以挽回，沒有哪個決定是絕對成功或失敗的。可是當妳有時間限制時，一個不好的選擇可能決定妳是否會結婚、是否會有小孩、是否會有多個小孩、以及是否能嫁給一個像三年前或十三年前拒絕的那個人一樣讓人愉快的伴侶。我們不知道如何見好就收，所以放棄了最好的（也許是最後的）幸福婚姻的機會。

艾蜜莉現在三十七歲，單身，她和許多年紀大的、有孩子的離婚男人約會。她沒有意識到，堅持尋找白馬王子並不代表最後會擁有一個童話般的家庭。她從小到大肯定不是夢想著要嫁給一位離過婚的中年男子，和不想要繼母而氣憤不滿的孩子們，還有前妻晚上十點打電話給他，想討論隔天學校接送的事情。

年輕時，她認為妥協的代價太高，但現在，她為沒有妥協付出了更高的代價。

貶值的資產

我得先承認，從經濟角度探討感情關係是有點不太得體。在後女權主義時代，我們說我們相信尋找伴侶應該取決於愛情，而且愛是唯一重要的因素。但在二〇〇七年，紐約一位自稱「口齒伶俐」且「優雅」，還說自己長得「美艷動人」的二十五歲女子，在美國分類廣告網站 Craigslist 提出一個問題，她問為什麼自己找不到有錢的老公。其中一位男士回答如下：

從我這種男性的角度來看，妳的提議簡直是一筆糟糕的交易。為什麼呢？廢話不多說，妳的提議就像一筆簡單的交易：妳有美貌，我有錢財。好，簡單明瞭。但問題是，妳的美貌會消逝，而我的財富很可能永續下去……事實上，我的收入很可能會增加，但妳的美貌卻絕對不會再增加！

因此，從經濟角度來看，妳是一個貶值的資產，而我是一個盈利的資產。不僅如此，妳的貶值速度還會加速！讓我解釋一下，妳現在二十五歲，可能接下來五年依然美麗動人，但每年顏值都會下降一點。然後，妳的美貌開始真正衰退，到了三十五歲，基本上妳也玩完了！

如果妳認為我這樣說很殘忍，那我只能說，假如我沒錢，妳也會離開我，所以當妳的美貌消退，我也需要一個出口，就這麼簡單。合理的交易是約會，不是婚姻。

這位男士的觀點或許無法吸引女性，但我問過的許多男士都認為他的想法不算離譜。在女性被激怒之前，我們應該意識到，不是只有男性才會如此粗俗。麻省理工學院的丹．艾瑞利指出，女性也看重外貌特徵的經濟價值。

一吋價值一萬美元

艾瑞利做過一項研究，讓個別的男性和女性觀察者針對多位男子的網路照片進行魅力排名，然後研究人員再去觀察這些男子得到的網路關注度。結果顯示，如果是外貌普通的男子，網路照片的魅力排名落在中位數左右，每年需要比其他魅力排名落在前百分之十的男子多賺十四萬三千美元，而如果你的照片落在後百分之十，那就必須比前百分之十的男子多賺十八萬六千美元。

「女人太在意身高了，」他告訴我：「若要與平均身高五呎十吋的男人獲得同等魅力，身高五呎九吋的我必須每年多賺四萬美元。」艾瑞利發現，五呎四吋的男性須比六呎高的男性多賺二十二萬九千美元，才能擁有同等程度的魅力；五呎六吋高的男性則需要多賺十八萬三千美元；五呎十吋高的男性需要多賺三萬兩千美元。

毫無疑問，身材高大的工作狂可能不如個頭矮小的稱職家長更適合成為另一半，就像二十六歲的性感辣妹可能不會像四十二歲的熟女那樣成為好的伴侶。我們以前都有過單看外表約會的經驗，但結果並不盡如人意，無論理性與否，我們總想追求自己想要的對象。而婚戀市場一再證明了這點。

這就是男女優勢發生逆轉的原因：二十幾歲的男人就像四十幾歲的女人，二十幾歲的女人就像四十幾歲的男人。

一切都與認知價值有關。

妳的價值取決於妳的選擇

這就是為什麼我的戀愛教練艾文．馬克．凱茲一再提醒我，我怎麼看待自己的價值並不重要。在約會中，妳的價值取決於妳的選擇。

「妳愛怎麼挑剔就怎麼挑剔，只要妳有這些選擇，」艾文說。「我們以為自己的行情應該很好，但發現事實上並不是，內心就會開始焦慮不安。阻礙妳前進的原因在於，妳想成為婚戀市場中最受歡迎的二十七歲女性。二十七歲女性基本上可以和任何人約會，無論是比她年長還是比她年輕的人，但情況不可能總是如此，這就是為什麼不管妳多大年紀，都不能因為一點小問題就拒絕別人。」

但是，該怎麼知道自己在婚戀市場中排在哪個等級呢？

「基於經濟考量。」艾文聳聳肩。「一加侖牛奶很好，但十美元的話不會有人買，因為產品定價太高。很多女性把自己的價格訂得太高，使自己失去了市場競爭力。」他指出，妳可以這樣評估自己的市場價值：如果你的收件匣都是男網友回覆妳的郵件，那就是妳的價格設定正確；如果沒收到什麼回覆郵件，那就是妳的價格設定太高。

「如果一名男性四十歲、長相俊俏、生活優渥、有結婚意願，那麼比起和同齡女性，與一名三十二歲女性交往更合情合理。」艾文繼續說。「但我們很多人都沒有調整心態。我們只會說：『**我很有價值，我只願意接受這樣的價格、我只和同齡的男人約會、我只和這麼高的男人約會**』宣言講得很好聽，但妳可能沒幾位買家。我看到很多年輕女性也替自己定價過高，五年後才替自己調整成比較實際的價格，但卻有可能為時已晚。」

這些正是我看到的現象：三十歲以下的女性也許正在和一位優秀的男性約會，但她們總覺得對方缺少了某些東西。她們和八分男交往，可是想要十分男，然後到了四十歲，只找到五分男！因此，她們為了等待十分男而放棄八分男，結果卻只得到五分男，或甚至什麼都沒得到。這位八分男本來已經很不錯了，他是值得追求的對象，但只有當妳只能得到五分男時，妳才會意識到這一點。

當我二十二歲時，如果我和一位聰明、善良、風趣、帥氣的男友分手，因為他太迷戀科幻事物，沒有人會責怪我。但當我三十七歲時，如果我只想要聰明、善良、風趣、帥氣的男友，別人會認為我貪心、要求過高、眼高手低。事實上，到了三十七歲，要找到這樣的對象非常難，但以前的我，從沒想過要把握眼前的好機會，「數量有限，賣完為止」。

艾文用商業術語解釋婚戀市場價值的運作模式：「等待一個十分完美的對象，就像是在說每個人都應該等待一份年薪五十萬美元的工作，如果每個人都認為那是自己應得的，那麼，因為這種高薪工作的機會很少，就會有**大量**的人失業。換言之，應該要有人妥協，接受一份薪水比較低、但福利和生活品質更好的工作，如同七分的對象一樣。」

艾文說，不考慮自己的市場價值，只是在自欺欺人。

「如果我是百萬富翁，我的行情會更好，」他說。「如果比爾．蓋茲不是比爾．蓋茲，他的行情也會完全不同。這種說法違背了我們關於愛情和重視內在品質的理念，很多人會感到冒犯，每個人都希望被視為特別的。但妳可以選擇假裝這不是真的，也可以更務實地面對自己的選擇，這樣才能找到真正適合自己的人。」

他是對的。如果我們真的誠實面對，許多人可能會意識到，我們並不是百分之百心無雜念地找尋真愛。吸引力是一種微妙的計算，涉及戀愛吸引力的品質，也考慮到妳和這個人在一起的生活品質。

舉例來說，大部分三十多歲的女性看待一位失業的男人和一位有高收入的男人，感受完全不同，即使這兩位男士都同樣聰明、可愛、有趣。這種差異與男人是否有抱負和激情的關係不大（因為失業的男人可能非常認真從事自己的音樂或事業，但都沒有賺到錢；高收入的男人可能根本不熱愛自己的工作），更多的是和我們對未來和家庭處境的感受有關。即便對最浪漫的人來說，實際問題也是很重要的。

婚姻是一門好生意

如果說戀愛經濟學看起來很討厭，那麼，至少對我來說，婚姻夥伴關係經濟學看起來令人欣慰。婚姻提供了基礎設施、育兒、經濟保障、陪伴，以及研究顯示，婚姻有益身心健康。兩人作伴過日子比較容易也更有趣。根據琳達・韋特和瑪姬・蓋勒合撰的《為婚姻辯護》（The Case for Marriage）這本關於婚姻好處的綜合研究，已婚人士整體上更幸福。

婚姻當然是一門好生意，但它還是一門生意。最近，我在MSN財金上看到了一篇文章，題為「現實點，婚姻是一門生意」，作者是莉茲・普莉安・威斯頓。副標題寫道：「拋開愛情可以征服一切的浪漫想法，拿出計算機吧。成功的合作關係需要計畫、財務長和定期的發展報告。」

普莉安．威斯頓在該篇文章中談到一件事，已婚人士明顯比單身人士累積更多財富，婚姻不是只有浪漫，還有法律和財務方面的影響，如同約翰．柯蒂斯說的，需要為婚姻制定一套經營計畫。MSN網站上的這篇文章連結到另一篇題為「如何離開妳的丈夫」的文章，內容建議妳在宣布離婚之前得先規劃一個撤退計畫以獲得最好的財務結果。因此，如果離婚有經濟成分，那麼按邏輯來看，婚姻也一定有。

但是，如果問大多數年輕的單身人士關於現代愛情連結社會經濟基礎的想法，他們會生氣。他們會堅持認為，擇偶方面的經濟考量是過去的事，是舊時代的原始產物，那個年代幾乎沒有辦法選擇和誰結婚或是否結婚，僅憑媒妁之言。如果擇偶時考量實際問題如此令人反感，那麼，為什麼那麼多靠媒妁之言的包辦婚姻行得通？

選擇包辦婚姻的人知道些什麼，是我們這種癡迷於自由戀愛的西方人所不知道的嗎？

19 二十七見鍾情

Love at Twenty - seventh Sight

潔伊馬拉．瑪達提爾是加州索諾馬州立大學的印度裔研究員，也是包辦婚姻的專家。我打電話給瑪達提爾詢問她的一項研究，該項研究讓我驚訝。她比較了在美國選擇包辦婚姻和選擇自由戀愛婚姻的滿意度，結果發現包辦婚姻和自由戀愛婚姻的滿意度一樣，甚至還更高。

我當然不會天真地以為包辦婚姻是女性約會問題的解決方案，但我發現瑪達提爾的研究很有趣：難道父母為妳挑選的男人，能跟那位妳花了多年時間苦尋覓求的人一樣讓你快樂嗎？

如果是這樣，為什麼？

瑪達提爾表示她的研究沒有探究原因（那是她下一個項目），但她樂意分享自己透過媒妁之言的十四年婚姻故事作為例子。

他沒什麼大問題

關於她的丈夫，瑪達提爾跟我說的第一件事就是她「完全愛上了」他，他的熱情、善良、聰明、以及他有多英俊。她不斷列舉各種優點，一旦開始聊起丈夫，她整個人似乎從能言善辯的科學家變成自我陶醉的少女。

「抱歉，」她說。「只是我們的婚姻太浪漫了。但如果我告訴妳我們怎麼認識的，妳可能一點都不覺得浪漫。」

她說得沒錯。

「我們的家人見了面」她解釋，「就他們的期望而言這是合適的配對，雙方講定讓我們發展看看。於是我和丈夫碰面，也互相喜歡對方，在基本的價值觀和對生活的期望方面有共識；外表很重要，我想是的，他長得挺帥，但他不必到非常帥。這段婚姻看起來是務實且可行的，所以我說，沒問題。」

就這樣？我試著想像坐在一個完全陌生的對象前面，然後對自己說：「好，我們這段婚姻看起來是務實且可行的。沒問題，我會嫁給他！」

以我典型的美國人思維模式，我想知道為什麼瑪達提爾不想見見其他人選。畢竟，她告訴我，在她找到合適的伴侶之前，想認識多少男人就認識多少男人。她怎麼知道要選這一位？

「嗯，因為他沒什麼大問題，」她淡淡地回。

我覺得聽起來很好笑。在美國，大部分單身女性決定是否結婚時不會用「他沒什麼大問題」這樣的理由（事實上，我們似乎總能在男人身上找出一些問題）而且根據她剛才告訴我的情況，有些女性甚至不會再和瑪達提爾的丈夫約第二次會面，更不用說同意結婚了，因為兩人一開始就沒有火花。

「與咖啡廳約會的差別在於，我們並不是在尋找火花或其他類似的東西，」她說。

「這比較像是朋友之間的相處方式，妳認識某個人，很快就會知道妳想不想再和他們見面。浪漫在一開始不是主要的重點，更重要的是，價值觀是否相符。」

她認為，有時候自由戀愛而結婚的夫妻會忽略這一塊。

「我在美國認識的一些夫妻可能約會兩年，卻不知道他們是否有相同的價值觀，」她說。「他們認為自己知道，但沒有真正討論過婚姻中會出現的重要問題。在包辦婚姻中，所有的條件都是一開始就講好的，沒有必要玩什麼遊戲。事情就是這樣，如果你們看起來很合適，很好，那就結婚吧。為什麼還要見第二次、第三次、第四次？妳還能得到什麼訊息呢？」

事實上，在瑪達提爾遇到現任丈夫之前，她曾經被介紹給另一位可能的未婚夫，但她拒絕了第一個人選。她沒有嫁給第一位，正是因為她已經從初次會面中得到她需要的訊息。典型的美國女性在第一次約會中拒絕別人，可能是因為某些膚淺的理由，像是毛髮太茂密、咀嚼聲很怪……而瑪達提爾告訴我，她和第一個人選沒有繼續下去的原因，主要是生活方式的差異，對方想要一個待在家裡的伴侶，但她想要攻讀研究所並外出工作。

「這是一種非常務實的做法，」瑪達提爾說。「我們知道必須做出調整，並且要有彈性，但不包括基本的事情，像是職業、孩子、想居住的地方等等。而是要著眼於大方向，並不是說，『他打高爾夫球，我討厭高爾夫球，所以兩人還是算了吧』。」

承諾帶來自由

瑪達提爾說她和丈夫結婚後，「感覺像是從那一刻開始約會，但比約會更好，因為妳知道無論發生什麼事，你們明天仍然會在一起。我不必守在電話旁，擔心他是否會繼續這段感情。諷刺的是，這種承諾反而讓這段關係更自由！」

她又說，注意力從「這段感情能走到最後嗎？」轉向「我們怎麼讓這段關係走到最後？」隨著瑪達提爾和丈夫更加瞭解彼此，她喜歡上丈夫的很多部分，她喜歡他們討論事情的方式、她喜歡他們彼此相處的模式。但她還沒愛上他，後來愛上他是因為他們在意見上的**分歧**。

「當一切都很順利時，愛情很容易產生，」她說。「但當你們意見分歧時，如何達成共識就顯得非常重要。我的丈夫不僅達到、甚至還超乎我的期望，我從未想過我還能找到更好的人。」

這與我們文化對愛情的看法大不相同，我們認為一段感情在起步階段就出現分歧，似乎是宣告結束的徵兆。戀情剛開始應該像蜜月一樣，情侶應該步調一致，心有靈犀，有一丁點意見不同的跡象都表明你們不合適。但瑪達提爾指出，關鍵不在於你們**是否**出現爭執，而在於你們**如何**解決爭執，她告訴我，越常練習優雅地解決這些爭執，往後就越不會發生爭執。

她給予戀愛中女性的建議是：先找個好對象，再來墜入愛河。最重要的是，不要以為自己已「墜入愛河」，結果才發現兩人不合適。

看起來是個好建議。畢竟，鑑於美國人對立刻墜入情網的癡迷，為什麼在以「真愛」開始的婚姻中還有那麼多人離婚或感到空虛呢？

丈夫的用途是什麼？

生於紐澤西的律師兼記者蕾瓦．賽斯似乎有了一些答案。在她的書《先婚後戀：從包辦婚姻的智慧中獲得現代情感關係建議》（First Comes Marriage: Modern Relationship Advice from the Wisdom of Arranged Marriage）中，她解釋說，在約會沙場上打滾多年以後，她總算意識到自己做錯了什麼。最終，她找到了自己的丈夫，但並非透過包辦婚姻，而是訪問了幾百位包辦婚姻的女性後，從中學會了一些原則。她的建議是給針對像我這樣的人，可以從包辦婚姻的故事中獲益。

和我一樣，賽斯在約會時也想墜入愛河並結婚，但她從未真正考慮過為什麼要這樣。因此，在她的書中，賽斯提出了一個重要的問題，在這個女性可以照顧自己的時代：「妳認為如今丈夫的用途是什麼？妳為什麼想要一個丈夫？」

這個問題很難回答，即使答案似乎很明顯。妳可能會說：「我想要一個靈魂伴侶陪我共度人生。」

好，靈魂伴侶。靈魂伴侶究竟意味著什麼？正如「婚姻、家庭和夫妻教育聯盟」所說，「人以為要找到靈魂伴侶才能擁有美好的婚姻。但實際上你不會『找到』靈魂伴侶。你遇到的每個人都已經有靈魂伴侶，而且好幾個，他們的母親、他們的父親、他們一生的朋友。結了婚，經過二十年的相愛、生兒育女、迎接挑戰，才會『創造出』靈魂伴侶的地位。」

在包辦婚姻中，丈夫的用途是什麼這個問題比較容易回答。妳的父母在尋找一個能夠提供滿意的陪伴、孩子（如果你們兩人都想要的話）和家庭生活基礎的人，他們想要品行端正、謙虛、有抱負且心胸寬大的人，這些才是真正重要的。如果一個男人可以讀懂妳的心思，但他卻保不住工作，或者他非常幽默，但說會打給妳卻都沒打，妳想嫁給這種人嗎？

我知道，妳想要他能讀懂妳的心思又能保住工作，幽默又值得信賴。但妳是想要一個丈夫還是一個施展讀心術的人？妳是想要派對生活還是一個可以依靠的男人？

正如賽斯在她的書中所寫的，丈夫是人生伴侶，不是救命恩人。婚姻滿意度的百分之五十完全取決於妳自己，但現今許多女性在戀愛時並不這麼認為。

我母親的一位朋友已經結婚四十年，婚姻幸福美滿，她也有同樣的體會：「單靠婚姻不會讓妳幸福。好的婚姻會帶給妳很多快樂，但持續提供娛樂消遣和刺激有趣的事物並不是妳丈夫的工作。我女兒有很多朋友都對丈夫的期望過高。」

確實，我訪談過一位三十歲的女性，她無法決定要不要和一個星期天都在看足球的男友交往下去。她男友是一位善良、有愛心、受過良好教育的公設辯護律師，但她仍在想，自己能不能和一位每個星期天都在沙發上待五個小時的男人生活在一起。

「我不期待我們的所有興趣都重疊，」她對我說。「但在星期天，我希望我們能一起做一些兩人都喜歡的事情。」

在包辦婚姻中，父母會尋找和他們孩子相似的對象，但這不表示要找一個和她一樣有音樂細胞、喜歡直排輪、喜歡同樣餐廳的男性雙胞胎。夫妻之間確實要有很多共同的事情，但共同的是目標，不是愛好，他們只需有共同想要建立的生活方式。所以，在妳出去慢跑時，妳丈夫在按字母順序整理他的電動收藏品，那又怎樣？這會是問題嗎？妳交過多少個男友和妳興趣幾乎相同，但戀情還是沒有修成正果呢？我們都知道，「都喜歡吃壽司」並不能讓我們從此過上幸福的生活。

在二〇〇九年《紐約時報》的「現代愛情」專欄中，法拉德．扎瑪談到他的婚姻是如何在見到未來妻子的短短四十五分鐘內決定下來的。他們彼此差異很大，從潔癖、閱讀習慣到飲食喜好等方面都不一樣。

「如果我們是在西方傳統方式下相遇然後交往的話，我們會結婚嗎？」他問。「還是我們會放棄彼此，繼續尋找完美的『另一半』？我不知道。」

「但是，」他繼續說：「我確信我們的婚姻是在考量其他因素後安排的，讓我們從相識到相愛，一直維繫至今。直到我們體認到，彼此的差異是讓我們關係完整的陰陽。現在，我們認為彼此是絕配。」

愛是複雜多元的概念

扎瑪認為，包辦婚姻之所以成功，很大程度上是因為好萊塢版的「愛情」並不是考量的因素。他可能是對的。西方人對於「戀愛」的期望，似乎扭曲了我們在伴侶身上該有的價值觀，以致於如今很多單身女性被問到理想對象時，常常回答「高大、風趣、事業有成」，而不是「溫暖、值得信賴、忠誠、能夠妥協並應對生活壓力」。

我開始想，包辦婚姻是否跟那些說他們結婚是因為「時機」的人相似？你知道，那些急於結婚、開啟人生新階段的人，只要下一個足夠好的交往對象出現，就會成為他們的配偶。雖然這不完全等同於包辦婚姻，但確實是以非常務實的角度踏入婚姻。

「我已經準備好結婚了，」安琪拉對我說，她是紐約的一名三十五歲的編輯，五年前結婚。「那時他還不是我的靈魂伴侶，但我認為我們在一起會很快樂，現在他成了我的靈魂伴侶。但另外一個男人也可能成為我的靈魂伴侶嗎？當然可能，那是時機問題，只要我們都做好承諾的準備，並且非常渴望承諾。我們不是在追求完美的對象，我們尋找的是合適的對象，然後，我們墜入愛河。」

居住在紐約市的二十七歲印度裔美國人、擔任策略顧問的維姆．沃拉告訴我，在印度文化中「愛」既是動詞也是名詞。

他說：「愛一個人的方式是尊重對方、珍惜對方、關心對方。」但對美國人來說，愛似乎只是名詞：「你感覺到這種外在的美妙激情，是一種荒誕、不安、不理性、飄忽不定的感覺，幾乎讓人感覺是它選中了你。」

他的觀點是，如果你在一段關係中擁有了你需要的一切，但你卻不再有感覺，也許是你太關注於你是否在愛裡面（名詞），而沒有付出足夠的努力去愛你的伴侶（動詞）。愛的某一面（動詞）是選擇。

沃拉認為，你需要名詞也需要動詞，但正如他所說的，我們容易忘記的是：「動詞可以創造名詞，名詞可以激發動詞。」

20 戀愛培訓課 第五堂：化學反應與適合度

Mondays with Evan Session 5: The Chemistry-to-Compatibility Ratio

「我們又要見面了，」我在和艾文的最後一堂課上宣布。「但很奇怪，我感覺不像以前那樣。我們之前沒有化學反應，但我真的很期待再次見到他。」

艾文笑了。「那不算化學反應嗎？」他問。「如果妳期待再次見到某個人的話？」

我們在討論我和謝爾頓二號的約會，他是四十六歲的鰥夫，從事房屋設計與銷售的工作，有個八歲的兒子。我本來甚至不想寄信給他，因為他的身高五呎六吋、頭髮稀疏，因為誤以為他的工作很無趣，他放在網站的照片戴著粉色圓點蝴蝶結領帶，所以我沒把他納入考慮，直到艾文嚴厲斥責點醒了我。

現在我正向艾文說我們去健行的事情。

一週前，我和謝爾頓二號約在當地一條小巷底碰面，我看到他坐在一塊大石頭上聽

iPod。他頭戴棒球帽，身上穿著酷玩樂團T恤搭配時尚短褲，視覺年齡只有快四十歲。在派對上的話我可能不會注意到他，但他向我打招呼時，我第一個想法是，「他還挺可愛的。」他給我的吸引力不是那種我想像自己和他上床的吸引力，他的外型完全不是我喜歡的菜。但他的可愛和打招呼時的溫暖親切，馬上讓我感到安心自在。

如果想把我們約會的事告訴朋友，也沒有什麼令人興奮的事可以報告。一個月前，我甚至可能不會和謝爾頓二號再約第二次。他不是高學歷的人，但他好奇心強且聰明，他有個「聰明的腦袋」，活力充沛，思緒敏捷；我們不像過去和男友們那樣互相打情罵俏，但完全不會沒話聊；他不油嘴滑舌，但善解人意；他協助我攀過大石、逗我大笑；沒有小鹿亂撞、沒有告別之吻，但重點是我有個愉快的約會。

我跟艾文聊起那篇關於包辦婚姻的研究，還有我過去重視兩人間立即產生的化學反應是如何毀了我的戀情。曾經有位帥氣的城市規劃師為了見我，飛越整個國家，但因為我對他抱持太多幻想，結果實際見到面卻頓時感到失望。並不是他真的讓人失望，他聰明、風趣、幽默、有自知之明、只是有點害羞內向。我們在市區走走時，相處得很愉快，但考量到朋友介紹他時的評價，我原本以為我們見面時會有一點，嗯，「感覺」。光相處得愉快還不夠。即使他六個月後會搬到我所在的城市，我仍然覺得維持遠距離的聯繫太過辛苦。但是，那些有產生火花、讓我花了很多心思的人，往往不適合我。（最近我在Facebook上搜尋這位城市規劃師，發現他已婚，太太是心理學家，還有一個女兒，照片上的他看起來還是非常可愛。）

現在，和謝爾頓二號在一起，我感覺像是電影《失戀排行榜》中約翰．庫薩克所飾演的角色，他談到女朋友時這樣說：「她不會讓我難過、焦慮或不自在。聽起來好像很乏味，其實不然。沒什麼太特別，不過也滿好的。真的滿好的。」

我開始問自己和他一樣的問題：「每次遇到新的對象，一旦感到不對勁，我是不是該馬上逃跑？但說實話，從十四歲開始，我就跟著自己的感覺走，可是我的感覺經常出錯。」

我的感覺也是如此。只需在紅娘網站看一眼，就可以確定我的感覺並沒有幫我選出最好的人。

追逐性感

艾文和我翻開了我在前幾週課堂中挑選的感興趣名單和電子郵件往來。大部分是四十幾歲、未婚、性感且自我介紹寫得很好的男性，但他們不是從不回覆我的郵件，不然就是我們開始通信後，會發現他們似乎從未談過長久的戀情，只有短暫的感情經歷、令人討厭地吹噓自己、讓人發毛地使用性暗示、與家人關係複雜、事業停滯不前，或者看起來不是一個好的、正常、穩定的丈夫人選。

艾文說這很正常。他告訴我，他非常清楚三十多歲和四十歲出頭的單身男性很受歡迎，很容易結婚，如果到了四十幾歲仍然未婚，通常帶有某種心理包袱或問題。

我三十六歲的朋友凱拉也注意到同樣的情況。

「在那個年紀，如果他看起來很搶手，那肯定有問題，」她說。「四十多歲還沒結過婚的男人是個麻煩，有些可疑的地方。我發現他們通常有五種悲劇性的問題：媽媽、成癮、同性戀、工作或承諾。離婚有孩子可以控制瘋狂因素，至少這表明他對某種我也感興趣的傳統生活感興趣。」

當然，現在我知道離婚父親可能更適合我。「但很有趣，」艾文說：「妳感興趣的名單全是不曾結婚的人。這說明了什麼？」

「我不擅長約會？我不會看人嗎？」

艾文搖搖頭。「這告訴妳，妳被妳所以為的化學反應蒙蔽了雙眼，妳追逐性感的人。我猜想，如果妳在派對上和一個離婚男子聊得很愉快，他有點超重、頭髮灰白、從事金融業、住在市郊，但他是非常酷的人，妳喜歡和他相處，妳可能會給他妳的電話號碼。五年前的妳可能不會這麼做，妳正在學習讓更多人通過妳的篩選。」

「但是，」他繼續說：「我也猜想，如果妳開始和這個傢伙交往，妳會在電話裡和妳朋友說，『我不確定這個感覺對不對，他超重、頭髮灰白。』妳可能又會一直認為妳想要一個更有創造力、住得離妳更近的人。真正的問題在於，從約會名單中挑選出來的人和真正喜歡相處的人，妳該如何妥協。」

讓我們來談談妳的童年

當我告訴 eHarmony 網站的研究員吉安・岡薩加關於我的「類型」時，他說人們常常混淆「化學反應」與他們的「類型」，把自己的「類型」與那些表面上有很多共同之處的人混為一談。但這種思考方式存在問題。

「在戀愛關係中，」他說：「妳的個性或氣質不會有太大改變，所以妳的伴侶不會突然變得更寬容或更外向。情侶之間會有一些共同的興趣，但這方面可能會隨著時間改變。人們往往把注意力放在他們擁有的共同之處，而實際上他們需要共通的是『彼此理解』的層面，**那才是**所謂的化學反應。」

有一位女性就犯了這樣的錯誤。她叫艾米，是一名廣播記者，在她二十多歲時，和交往很久的男友（法律系學生）分手，因為她覺得工作上認識的新男友讓她更有化學反應。他們都對電視新聞滿懷熱情，喜歡與對方分享日常體驗。他們對這個行業都有同樣的癡迷。

「我最後嫁給了我的電視新聞業同事，已經結婚十五年並生了三個孩子，」她說。「但我很不快樂。我們在真正重要的事情上沒有共同之處。我的丈夫最後離開了電視新聞，進入公關行業。他現在是自由接案的攝影師，但工作態度並不積極。」

現在她很後悔與交往很久的男友分手，後來那位前男友成為一名律師。她對他才有更**真實**的化學反應。「等孩子長大以後，」艾米談到她的婚姻：「我們可能會離婚，各奔東西，因為沒有什麼能維繫我們的感情。」

曾經擔任社工的紐約媒婆麗莎．克蘭彼特告訴我，通常看似「化學反應」的感覺，可能來自於童年時期的情感包袱。因此，如果她發現客戶一再追求不合適的男性，她就會探究這種吸引力背後的心理根源。

「有時候，人們所認為的化學反應實際上是家庭經驗的重演，」克蘭彼特說。「如果父親是工作狂，那麼這個人長大以後可能會被已婚、或心有所屬的人所吸引，而當某個正常單身狀態的人對她有意時，她會感覺不到火花。」

遇到這類情形，克蘭彼特會專注於女性會被吸引的優秀特質，試著安排她們與更合適的人選配對。

「我會說：『讓我們來找個有幽默感、熱情洋溢、又善於溝通、穩定而且想要孩子的人，即使一開始妳可能不會對這個人有什麼化學反應。』我會提醒客戶，化學反應有時候會導致錯誤的決定。」

化學反應上癮

艾文也提醒了我這一點。

「當妳的化學反應強度達到十級，會發生什麼事？」他問。「妳會有什麼感覺？」

我回想起以前剛和新男友熱戀時感受到的那種激動情緒。

「棒呆了！」我說。

「真的嗎？」艾文問。「還是妳每隔二十分鐘檢查一下語音信箱、無法專心工作、忽略朋友和生活，表現得像個白癡？」

我承認，其實比較像後者。

「那就對了，」他繼續說。「在熱戀期中，妳會表現得不像自己。妳會感到緊張不安，妳沒有判斷力，會做出愚蠢的選擇：**我只想扯掉他的衣服，想占有他，就算他患有憂鬱症也無所謂！**」

艾文經常碰到客戶這類的案例：熱戀期三個月一下子就結束了。人生目標不同，情意濃烈的關係也撐不了多久，受到強烈吸引的兩人也經常吵得很激烈。

當他的客戶遇到很棒的對象，卻沒有那種激動的感受時會說：「但我沒有和某某某在一起的那種感覺。」艾文對此的回答是：「某某某甩了妳、某某某已經和別人結婚、某某某不想要孩子、某某某不負責任。那樣還激動得起來？」

答案很清楚，但有多少女人被完全不合適的男人所吸引？太老或太年輕或失業或非單身，儘管有重重阻礙，我們還堅持他是自己的靈魂伴侶？（事實證明這些人都不是，不然就是她的靈魂是說謊的人、騙子、懶鬼等等）

當我感受到強烈的化學反應時，有多少次忽略了我不應該忽視的事情？有多少次給自己不應該給的容忍餘地，試圖「理解他」，我們會想也許他有親密關係問題、他的父親不夠愛他、他的母親太溺愛他……而不是繼續往前，去找一個能給我真正想要的東西的人？

聰明的人怎麼會做出如此愚蠢的決定？

羅格斯大學研究愛情生理學的生物人類學家海倫．費雪指出，可能是因為浪漫愛情就像毒品會讓人上癮。她讓四十九個熱戀中的受試者進入功能性磁振造影儀，觀察他們腦部與這些感受有關的區域，她發現當你與某個人有強烈的化學反應時，大腦中活躍的區域是獎勵機制，當你伸手拿起巧克力、香菸或安非他命，這部分也會啟動。這些靠近大腦底部的細胞會產生一種叫做多巴胺的物質，而多巴胺就是讓我們「興奮」的東西。無論是想抽菸還是想找個愛人，對大腦而言都無所謂，結果都是一樣的：渴望、著迷、需要。

當大腦充滿多巴胺時，人很難記得這種興奮感平均只會持續十八個月到三年。她說，有些人能夠維持更長的時間，但即便如此，興奮感的品質也會改變。

「我們剛完成了一項研究，讓結婚二十一年仍然相愛的人進入功能性磁振造影儀，」她說。「我們發現大腦中與焦慮有關的區域不再活躍，反而與平靜、和緩、解疼痛有關的區域處於活躍狀態。你仍會被這個人所吸引，你仍會因為他們的笑話大笑，但早期的焦慮現在被平靜所取代。如果他們沒寄電子郵件給你，你也不會坐在床尾哭泣。」

費雪表示，預期模式是戀愛初期的緊張焦慮逐漸轉變成平靜和安全感，但其實也可以往反方向發展。和某人在一起時的平靜與安全感，後來也可能觸發浪漫的愛情，大多數人都渴望立即產生火花，卻忘記這一點。事實上，費雪自己也有這樣的經驗。

「有位男士追求我一陣子了，我當時覺得他很煩，」她說。但每次和他出去時，她都感到十分的放鬆與自在。「四年後，我愛上了他，我從來沒想過會這樣。十年後，我依然和他在一起。」

費雪並不是說化學反應不重要，只是讓你知道化學反應可能需要時間來培養。而且，正如艾文告訴我的那樣，即使發展出化學反應，我們也往往認為不夠強烈，因為我們認知的比例不對。

「你應該尋找化學反應強度為六或七，然後適合度為九的人，」他說。「我們大多數人尋找化學反應強度為九的人，但最後適合度只有四。由於過度追求化學反應，人們總是把自己逼到絕境。」

艾文說的絕境是指：如果一開始出現很多化學反應，很難對這個人有真實的印象，如果這個人後來變得不善良、或自私、或不可靠，你也很難放下，因為你已經上癮了。但如果你和一個剛開始只是朋友的人交往，一旦遇到不可避免的阻礙或困難，你會告訴自己，**反正我從來沒有被他吸引**。因此，為了追求化學反應，你可能給錯的人機會，卻讓對的人離開。

你月經來了嗎？

加州大學洛杉磯分校研究擇偶與性行為的研究員瑪蒂．黑索頓告訴我，我們所認為的化學反應可能與妙不可言的浪漫感受無關，而是與荷爾蒙關係較大。在她的研究中，她發現女性喜歡什麼樣的男人取決於她們在月經週期的哪個階段（這也太不浪漫了吧？）

根據黑索頓的說法，在月經週期中生育能力強的日子裡，女人比較喜歡陽剛的男性，但其他日子她們會選擇比較女性化的男性。所以在高受孕期的時候，她們會被主導性強和有競爭特徵的男性所吸引，但在週期的其他時候，她們會追求溫和的好男人。

「女人什麼都想要，」她在加州大學洛杉磯分校的辦公室對我說。「她們想要男人在感情中是良好的長期夥伴，同時善良、關愛、是家庭支柱，這些都是女性化的特徵；但女人也想要非常性感的男人，長相好看、高大、肌肉發達，這種壞男孩的特徵。這些通常不會同時出現。但更令人困惑的是，女人會發現，自己在週期不同的時候也會被不同的特質所吸引。」

有意思的是，如果女性服用避孕藥物，就不會出現這些週期性變化。但黑索頓又說，「如果她停用避孕藥，那就糟了。」現在，在高受孕期的時候，她可能對自己的好好先生型男友和丈夫的態度不那麼友善。她在這些日子總覺得「少了點什麼」。

我問黑索頓，既然我們無法控制自己的生物特性，那麼人到最後是如何找到好伴侶的？

「我認為生物特性不是問題所在，」她說。「期望才是。對伴侶的吸引力時增時減是很正常的事，但現在如果出現『沒有感覺』的自然階段，人們會以為這就是有問題。而且，他們還以為必須有立即、強烈的感覺。」

艾文承認他以前也是這麼想的，但現在，距離他和一個剛開始沒想到會交往的女人結婚剩下一個星期。從他告訴我的一切可以看出，他從未如此快樂過，而且他絕對不是屈就，他和未來的妻子確實產生了強烈的化學反應，只是並非那種受到吸引時立刻魂不守舍的感覺。

最後忠告

培訓課結束時，我和艾文擁抱道別，看著他離開，我很難過。雖然一開始很抗拒他的建議，但現在我覺得如果沒有他，我可能會迷失方向。我告訴艾文，他去度蜜月期間，我很怕我對謝爾頓二號又做出什麼傻事。

「妳該知道的都知道了，」他安慰我說：「做出一些改變可能很難，但我認為妳已經準備好了。」

某程度上我相信他所說的，但我仍想要獲得幾句睿智話語來堅持下去。「如果你希望我從中記住一件事，」我問：「那會是什麼？」

艾文想了一會兒，然後留下這樣的話：

「有應該怎樣走的路，和實際上怎樣走的路，」他說。「妳必須不斷挑戰自己。妳過去的做法將妳帶到了今天的位置。妳必須經歷一個過程，才有可能遇到妳喜歡的人，而妳是否經歷這個過程取決於妳自己。」

那天接下來的時間，他的話在我腦海中縈繞不去。「有應該怎樣走的路，和實際上怎樣走的路……妳必須經歷一個過程……妳是否經歷這個過程取決於妳自己。」

這聽起來簡單又帶點神祕感。後來，我和一位前同事共進午餐，艾文說的那段話，突然變得非常清晰。

21 是扔掉清單，不是扔掉男人

Dump the List, Not the Guy

這位同事叫羅蘭，三十一歲的電視編劇。我們正在談論工作的事，她碰巧提到已經和交往四個月的男朋友分手。幾個星期前，羅蘭才講過她多喜歡這個男孩。

我問發生了什麼事。

什麼事也沒有，羅蘭回答。只是他並非那個「對的人」。

但羅蘭喜歡他哪些地方呢？

「嗯，我感覺和他在一起相當自在，」她解釋。「他不帶任何偏見且非常包容。在脆弱的時刻，他總是說出最適合的話語，諸如此類的事情讓表面上的缺點變得不再那麼重要。」

她所謂「表面上的缺點」是指：他是金髮（她不喜歡金髮）；他和她一樣高，五呎八吋，而她想找個比自己高的；而且他不善穿搭。其餘困擾羅蘭的事情，比如他會躺在她的床上，把他出汗的腳擱在她的枕頭上。「神經太大條，」她說。「我需要一個第一時間就知道不能這麼做的人。」

儘管他擁有頂尖大學的學歷，但有時說話方式像大賈斯汀．提姆布萊克也惹惱羅蘭。羅蘭因為他比自己更想做愛而生氣，即使她承認，那是她經歷過最棒的性愛。

一開始，她忽略了這些事情，因為她說：「情感上，他完全符合我想要的，反應敏銳、體貼、善良；他不要求另一半像三級片影星那樣做比基尼除毛，這樣很好，我可以自然地做自己；他不會害怕我生活中發生的沉重事情，比如我媽媽得了癌症，他總是體貼地詢問此事的情況，在我情緒低落的時候給予空間，體諒我是因為母親病情才這樣。不過，有時我也會因爲單純不爽他而喜怒無常。」

她認為在戀愛初期不應該有那麼多煩惱和困擾。雖然有些小問題需要磨合，但整體來說，這個部分不是應該很容易嗎？

「我正在思考的重點是，我是不是應該更常和對方溝通讓我煩心的事，至少讓那個人有機會，」羅蘭說，暗指問題是這位男友需要改進。「而不是像現在這樣甩了那個人，妄想找到一位透過心電感應可以滿足我所有需求的人。這或許不是明智的假設。」

羅蘭的作法和艾文的建議恰恰相反，她不願意「經歷這個過程」。她在做我一直在做的事，依靠心中一份嚴格死板的清單，列出那個男人應該是什麼樣子。

忘掉我的「類型」

蘇珊・佩姬是情感關係專家，亦是《我很棒，為何仍單身？》（If I'm So Wonderful, Why Am I Still Single?）一書作者，她也相信這個過程。她曾是紐約哥倫比亞大學的校園牧師，並擔任加州大學柏克萊分校的婦女計畫主任，協助成立了美國第一個以大學為基礎的人類性學計畫。她告訴我，在她與全國各地單身人士的研討會上，她注意到度過這個過程的最大障礙是她所謂的「偽高標準」。

「人因為某些問題而退縮，」她在電話上跟我說：「他們從未真正嘗試過與對方在一段承諾關係中會是什麼樣子。如果單身人士沒有把所有事情都當成測試，那麼會更容易找到另一半。用友善的態度看待伴侶身上讓我們不喜歡的地方，將有助於關係產生積極的變化。然而，很多人卻是選擇分手。你永遠不該屈就於無法滿足自己所需的對象，但不表示對象應該符合你清單上的每一項條件，因為你無法預知你會被某個人的哪些特質所吸引。」

她在將近三十年前遇到自己的丈夫時就明白了這個道理。

「我當時是衛理公會的牧師，」她說：「我以為自己會和宗教信仰相同、受過高等教育的專業人士，像是醫生、律師、教授，或是會打橋牌且喜歡唱歌跳舞的人在一起。然而，我丈夫是猶太人，大專肄業，是個藝術家，他不唱歌不跳舞，也不打橋牌。」

某天，他們在一個朋友家見面並開始聊天。「我問他是做什麼的，」她繼續說：「他回『我是工作室陶藝家』，我心想，『噢，他是輟學的嬉皮，生活不穩定，所以在街上賣自己做的馬克杯。』光憑這點，我就不考慮他了。我喜歡和他聊天，但不認為他是結婚對象。」

事實上，這位工作室陶藝家靠著銷售他的藝術品過著還不錯的生活，甚至在紐約麥迪遜大道辦過展覽。幾天後，他們一起出去吃早餐，但她仍然認為兩人不會有結果，對方不是她喜歡的類型。看來兩人就是這樣了。

佩姬是酷愛民間舞蹈的舞者，有一天，陶藝家意外現身看她跳舞。活動結束後，他們去了附近一家酒吧，待到凌晨兩點。兩人之間依然沒有火花，但已經開始有一些默契。接著星期六兩人在一家美術館待了一整天，不久之後，佩姬很驚訝，她迷上他了。

「他擁有我想要的特質，但沒有人會把這些特質列在清單上，」她說。

佩姬說，清單就像是我們對於找到「完美理想伴侶」的幻想。她經常聽到單身女性說，如果只有達到清單上的百分之八十，這個對象就不符合要求。

「從什麼時候開始，對象達到百分之八十的條件就算是屈就呢？」她問。「我們創造出這些幻想的男人，想像他會有這樣的職業、這樣的眼睛顏色、這個年齡……在你幾乎排除掉所有人之前，你還能要求到多具體？」

帶來意想不到的驚喜

我向佩姬談起羅蘭的情況，她說這是一個再熟悉不過的故事。「人有過度分析的傾向，」她說。「很多時候，我們讓大腦的嘮叨說服我們放棄對自己有益的事情。反之亦然，如果有人符合清單上許多條件，但你的直覺卻說『我不相信這個人』，那個比清單更重要。」

佩姬跟我說了一個關於她婚前迷戀過一個人的故事。「他完全符合我的清單條件，」她解釋。「專業、受人歡迎、有魅力、可愛、幽默、地位崇高。可是我早就發現到他非常自戀。我想，我們之間沒有真正的感情，我只是他另一位觀眾。當時我被迷得神魂顛倒，還是決定不再見他，非常痛苦，但我為自己做了正確的事情。」

佩姬說，清單看起來是釐清思路的好方法，但實際上很難列出一個既不過分簡化又不斷章取義的清單。例如，即使你已列出了想要的特質，每個特質的權重也不一樣（像年齡和誠實度一樣重要嗎？），然而，你想要的許多特質，並非單純有或沒有而已。通常，這些特質自身（如幽默感或經濟能力）存在一**定程度**的差異，可能只是沒有達到你在寫下時所想的那種程度。

清單也讓人困惑，因為那是處於個人狀態時的特質，並沒有考慮到他**在一段關係中**會出現的特質。他也許年齡符合、幽默感符合、工作也符合，但他和你在一起時會是什麼樣子？你和他交往時會有什麼感覺？你們相處得融洽嗎？這些都無法根據書面資料進行量化。

佩姬反倒是從她丈夫的陶藝工作中，想到了一個與人際關係相關的比喻。

「在美國，」她說：「陶藝家拉坏製作陶器時，會在表面上釉，然後放進烤窯裡，並且明確知道成品應該會是什麼樣子。但日本人製作陶器時，他們會把它放入溫度不一定的柴燒窯裡，所以取出陶器時未必和原本想像的一樣。他們會說：『喔，這就是火燒的效果，太漂亮了！』他們認為完美並不美。」

「所以，與其知道你對面的人應該是什麼樣子，不如問問自己這個陶器問題：

『這是什麼?它美嗎?』而不是想著『它不是這樣的，它應該看起來像這樣。』你必須問自己的是『我喜歡它嗎?』，而不是『它和我想要的相比如何?』不同的人可以給你帶來意想不到的驚喜。」

我告訴她，幾個月前有位朋友讓我寫了一份長長的清單。她建議我不要列出對理想伴侶的要求，應該列出我的前男友們所具備的特質，然後思考這些條件最後對於這些關係有多重要或多不重要。她詢問那些婚姻美滿的人，丈夫是否符合她們的條件清單，她們通常承認自己的伴侶沒有符合大多標準，但確實符合更重要的標準。

「重新檢視你的標準是否有用，」她說。「遇到合適的對象時，大多數人會發現清單即使不是完全沒用，也會被誤導。」

扔掉我的清單

我又看了看我詳細的老公專賣店購物清單。我在想，有多少次我應該扔掉清單，而不是扔掉不符合清單條件的人。案例：我和謝爾頓二號展開第二次約會。他來接我時，站在我家門口，露出可愛的笑容，他看起來比健行時更帥了。很快地，我們在一家時髦咖啡廳享用一頓大餐、轉移陣地到酒吧跳舞，然後又到沙灘散步。六小時過去了，和他在一起比和許多**符合**我清單標準的男性約會更有趣。

所以我決定這麼做。我準備和我的清單分手。但，怎麼做？

當然可以直接忽略清單就好，但我覺得我需要採取更具體的方式。我需要擺脫所有不合理的要求，以便真正敞開心胸接納其他可能性。

我想過把清單撕碎扔進垃圾桶，但這似乎不夠高潮迭起，具有象徵意義的舉動也許更合適。我該把清單郵寄到某個地方（像是姐妹會宿舍），當作警世故事嗎？我該把清單埋在某個地方，就像一個誤導約會的時間膠囊，可能二十年後再挖出來嗎？

我考慮問一些單身朋友願不願意把他們自己的清單帶到海灘，升個大營火一起燒掉，但感覺太老套，而且，與我的清單分手感覺是我必須獨自做的事情。雖然依舊老套，但後來我想找到一種方式來表現我在尋找伴侶方面的個人轉變。除了尷尬之外，整件事感覺太隱私了，不能分享。

於是，在一個寒冷、多雲的冬日，我鑽進車內，把我的清單裝在一顆用長長白繩綁著的氦氣球裡，放在一旁的副駕駛座，朝向大海駛去。

那是清晨時分，水很冰冷。我覺得有點荒謬，然而就在我赤腳站在那裡，正打算將我的清單放飛天際時，卻發生了最意想不到的事情。一位非常帥氣的男子朝我慢跑過來。

「嘿！」他喊道。我回頭望了一下，看他是不是在和別人打招呼，但只有我一人在岸邊。

「嘿！」他又喊道。他肯定是在跟我說話，我簡直不敢相信自己的運氣。我放開氣球，然後看著那個人越跑越近。他在我旁邊停了下來，因方才的奔跑而喘著氣。

「嘿！」我說。

「妳在做什麼？」他問。穿著短褲和一件加州大學洛杉磯分校法學院的破舊運動衫，他左手沒戴戒指。我盯著他烏黑捲曲的頭髮和肌肉發達的雙腿。我想：我真的會在用氦氣球解放約會清單時遇見那個人嗎？這個不可思議的婚禮故事怎麼樣？

「呃，我只是在向大海發送一個訊息，」我不知道該怎麼解釋，不想聽起來像個笨蛋。

我們望著氣球飄走，直到它越來越小，變成一個小點，然後完全消失。

他注視著我的眼睛，他那巧克力棕色眼眸彷彿磁鐵般。我的胃開始翻騰了。

「唉，」他說：「妳真的不應該做這種事。這樣對環境不好，我正想要阻止妳。」

講完，他繼續他的慢跑。

在那短短的一瞬間，我感覺到失落。再說，誰准他當氣球警察的？但後來我很高興遇到了這個人。我們短暫的兩分鐘相處再次讓我明白，我有多麼喜歡幻想，而幻想很少成真。我們的相遇宛如一首戀愛的俳句：慣有的幻想，我投射在他身上，但大失所望。

我知道改變會很難，但最終還是值得的。

我在沙灘上走了一會兒，然後回到車內，把票根給停車場的工作人員。太陽終於升起，明亮的光線照在我的擋風玻璃上，我瞇著眼找錢。

「春天來了，」工作人員說。

「是呀，」我回。「一個新的開始。」

「不愉快的婚姻是缺乏友誼，不是缺乏愛。

——尼采（*Friedrich Nietzsche*）」

PART 5

統整

Putting It All Together

22 夠好的婚姻

The Good Enough Marriage

真正專注於尋找「夠好男」時，我發現了所謂的「夠好的婚姻」。這是我在賓州州立大學訪談過的社會學家保羅·阿瑪托發明的新詞。阿瑪托研究的是不完美、但剛剛好的婚姻，他的研究讓我想起了我過去約會的方式。

在一九八〇年，他和他的同事對兩千名已婚人士進行了一項研究，研究人員每隔兩年對這些夫妻進行追蹤調查，瞭解他們的婚姻狀況。這項追蹤執行了二十年。其中有很多對夫妻離婚，所以阿瑪托想知道，是什麼導致離婚？

「起初我們發現結果有些出乎意料，」他在電話中告訴我：「因為我們以為離婚夫妻都經歷過一段漫長可怕的爭吵。我們以為他們關係疏遠、痛苦不堪，以至於他們覺得婚姻無法挽回。」

有些夫妻確實如此，但許多夫妻根本不是遵循這個模式。事實上，直到離婚以前，他們相處得似乎很融洽，他們沒有欣喜若狂，但也沒有不開心，他們經常和另一半外出，被問到婚姻問題或意見分歧時，他們都表示幾乎沒有。從一到十，他們會給自己的婚姻打七分，不是兩分或三分。「沒什麼嚴重的事情發生，」阿瑪托說。「他們的婚姻並不完美，但已經相當不錯。兩年後，他們離婚了。這些夫妻已經足夠幸福，可是他們想要更多。」

詢問阿瑪托研究中的受試夫妻為什麼離婚時，他們會這樣說，「我們漸行漸遠，不像剛結婚時那樣」或者「我覺得自己沒有成長」或者「我覺得我的另一半是好人，但不是我的靈魂伴侶。」他們很失望，但沒有感到生氣。

「他們不討厭自己的另一半，」阿瑪托說。「有些人說『你知道的，我仍然愛我的另一半，我只是發現彼此不適合。』通常他們會找到別人，然後想：『現在，這才是我的靈魂伴侶。』雖然這段婚姻一點也不糟，但他們認為自己找到更好的歸宿。」

不同，不一定更好

就像單身女性因為覺得能找到「更好的」而和「剛剛好的」男友分手一樣，很多已婚人士都錯了。五年後，阿瑪托進行追蹤調查，發現大多數再婚的人不是滿意度沒有提升，就是幸福感**不如**第一次婚姻。

「我們並沒有問他們是否後悔，」阿瑪托說：「因為大多數人不會承認犯錯，這樣會讓人看起來像個傻瓜。所以我們觀察憂鬱症狀、詢問他們對自己生活的滿意程度，再將這些結果與五年前的結果進行比較。從統計數據來看，他們的幸福感降低了。」

這是因為即使第二段婚姻不同於第一段，仍需要有所妥協。「不同」不一定代表改善。我在情感關係專家黛安．索莉的「聰明婚姻」網站讀到：「研究顯示，每對幸福成功的夫妻都有大概十個『不協調』或分歧的領域，他們永遠無法解決。然而，這些成功的夫妻學會了如何處理這些分歧，與之『共存』，所以儘管有分歧但仍然相愛。換言之，如果更換伴侶，我們仍會得到十個新的分歧領域。」

難怪美國疾病管制中心的報告指出，第二段婚姻的離婚率高於第一段。也許這些人很難接受，一段美好的婚姻不表示婚姻必須總是很美好。

根據羅格斯大學的全美婚姻計畫，於一九八〇年代後期使用大型全國性樣本的研究，發現那些雖然不快樂但仍維持婚姻的人，在五年後的訪問中，有百分之八十六的人表示他們現在更快樂了。事實上，先前認為不快樂的夫妻中，有五分之三現在將他們的婚姻評為「非常幸福」或「相當幸福」。

「大部分夠好的婚姻都可能隨著時間、努力和承諾變得更加穩固和美滿，」阿瑪托說。「我認為『靈魂伴侶』的概念已經造成許多傷害，因為它替『成功的婚姻』設置了極高的門檻。婚姻不是形而上學。」

繼承期望

後來，一九九二年，阿瑪托和他的團隊採訪了「夠好婚姻」中離婚夫妻的成年子女。到二〇〇〇年之前一共進行了三次訪問，結果發現，其中一些孩子也很難找到他們的「夠好」伴侶。

「如果是一段糟糕的婚姻，」阿瑪托說：「孩子們在父母離婚後很快就會恢復。他們終於從所有爭吵中解脫出來。但來自夠好婚姻家庭的孩子們在父母離婚後，生活會變得一團糟，他們自卑、抑鬱、對婚姻抱持消極看法。父母離婚讓這些孩子們感到驚訝，難以理解，因為不像那些生活在高衝突婚姻家庭的孩子，離婚並不是解脫，離婚是意料之外的事。夠好的婚姻對這些孩子們而言也夠好，因為孩子不在乎父母是否自我實現。他們生活穩定、可以隨時接觸到父母、很快樂，父母是不是正在面對內心的存在危機，對他們來說並不重要。」

然而，成年後，這些來自夠好婚姻家庭的孩子複製了父母的婚姻。一旦自己的感情關係出現問題，他們會立即開始考慮分手或離婚。

許多人確實這樣做了。

「一旦出現任何類似問題，他們會迅速撤離，」阿瑪托說。「來自完整家庭的孩子在結婚後遇到問題時，通常會說『看來有些問題要處理』，但不會選擇離婚。然而，那些來自夠好婚姻中離異家庭的孩子對婚姻變得非常謹慎，他們傾向同居。他們覺得無法信任自己的伴侶，承諾很可怕，因為他們的父母即使看起來很幸福，最後還是離婚了。」

整體而言，阿瑪托發現這些成年子女對於關係中出現問題的容忍度較低。他們從小就相信，愛火如果熄滅，解決辦法不是重新點燃，而是去找另一個火花。

從「我們」到「我」的轉變

我問阿瑪托，需求沒有被完全滿足時應該尋求更好的東西，這種想法是從哪裡來的。

「我個人認為，」他說：「是源自一九七〇年代。人類潛能運動的卡爾．羅傑斯和亞伯拉罕．馬斯洛探討了生活的諸多方面如何促進個人成長，馬斯洛將自我實現擺在幸福的婚姻之上。所以，如果你不喜歡這個朋友，就去找新的朋友，工作、婚姻也是如此。一九六〇年代有些針對大學生的態度調查，其中一項研究問：『結婚最重要的理由是什麼？』他們回答說，結婚是為了建立家庭、獲得經濟保障、擁有漂亮的房屋和院子、想和我愛的人結婚。但其中關於愛情的部分，並不是他們所提的第一個或第二個理由，而是排在第四或第五位置。」

「但到了一九七〇年到八〇年代，」他接著說：「愛情是結婚最重要的理由，其他理由的排名大幅下降。這種認為愛情是結婚首要原因的觀念相對較新，我們現在認為婚姻完全建立在找到理想情人的基礎上。我個人感覺是，如果對自己能從婚姻中得到什麼，抱持更務實的期望，你會比較幸福。」

在他的《一起孤獨》（Alone Together: How Marriage in America Is Changing）一書中，阿瑪托與共同撰寫人談到了現今婚姻與七〇年代以前的婚姻之間的區別，前者更加注重個人主義，後者他稱為「友伴式婚姻」，這種類型婚姻需要找一個協調且可靠的伴侶，幫助你實現共同的人生目標。

「團隊合作是美滿婚姻的定義，」阿瑪托說：「但現在重點已經轉變成透過婚姻關係實現個人滿足。**是的，他也許是個好父親和好丈夫，但他能滿足我對浪漫愛情和個人成長的最深層需求嗎？**最後導致結婚年齡逐年遞延、未婚女性增加、未婚媽媽增加、離婚人口增加，而且離婚原因和『伴侶是否為提供幫助的朋友與合作夥伴』幾乎沒有關係。」

阿瑪托表示，選擇一個夠好的人，既不是個人的失敗，也不是退而求其次。「在大多數情況下，這是一個長期獲得幸福生活的合理且實際策略。」

我向阿瑪托請教我在琳達．韋特和瑪姬．蓋勒合撰的《為婚姻辯護》一書中看到的研究，這些研究顯示，抵抗憂鬱和更普遍的不快樂情緒，一項最有效的措施是婚姻。這些研究發現只適用於幸福美滿的婚姻？還是也適用於「夠好」的婚姻？

「處於不正常、充滿敵意的婚姻中肯定不利於一個人的幸福感，」他說。「但根據多項研究，『夠好婚姻』中的大多數人比單身者更幸福。調查顯示，絕大多數單身者最終都想結婚，而當生活與目標一致時，人往往是最幸福的。因此，想結婚的單身者在結婚時通常會獲得幸福感的提升，前提是他們沒有犯下大錯嫁給一個心理變態。」

換句話說，一個人無須童話般的婚姻，也能達到幸福感的提升。只需要夠好的婚姻就可以。

想要一個男朋友和丈夫

阿瑪托告訴我，無論男女都難以接受「夠好」的伴侶，但他的研究發現，女性通常比男性抱有更高的期待。他和他同事透過同性別的焦點團體研究了二十多歲的未婚成年人，問他們像是「怎麼知道找到對的人了？」之類的問題。

他表示，以女性來說，「心動」這個詞一次次反覆出現，但男性不會用這個詞。「男人會說，『我們交往六個月左右，我就知道這個人是對的人，有次她不得不離開一個星期，她不在的時候，我非常想她。我覺得有她在會更開心，我發現到她有多麼重要。』女人則是經常談到化學反應和火花。」

至於已婚者，阿瑪托也發現了差異。「女性對感情關係有更多批評，」他說。「我們採訪了丈夫和妻子，丈夫會說，『嗯，有時是這樣，有時是那樣』，但妻子會說，『你想要我從哪裡開始說！』男人會說，『雖然有這個問題，但我們意見不同也沒關係，因為沒有對我造成太嚴重的困擾。』但他的妻子放不下，可能是因為女孩的社會化牽涉了人際關係，女性對於友誼的期待也更高，她們期望自我揭露和深入溝通。男人在感情和友誼方面就比較隨和，他們可以一起看電影就很好。」

我明白他的意思。那個星期稍早的時候，一位已婚友人說：「丈夫愛我，我也愛他，他是很棒的人。」但現在，有了兩名年幼的孩子，她懷念起他們交往時的感覺。「我想要一個男朋友，」她說。「但我不想放棄我擁有的一切。我想我是想要一個丈夫**和**一個男朋友！」

我問阿瑪托，他覺得離婚率較高與現代女性在擇偶時，追求一連串品質是否存在相關性。

「喔，是呀，肯定相關！」他說。「有一派觀點認為，離婚率上升是因為我們的文化變得更傾向個人主義，我們對婚姻的期待也隨之改變，婚姻變成一種療癒型關係，而不是實用型關係。『婚姻應該是讓我們更好，讓我們感到幸福』，婚姻的意義已經改變。其他人則認為是人口結構的問題，更多女性加入了勞動力市場，她們在經濟上不依賴男性。我個人認同前者的觀點，問題在於不切實際的期望。」

例如，他說越來越多女性認為，如果在婚姻中的任何階段感到寂寞，那一定是兩人關係出了問題。然後她們選擇離開，獨自一人變得更寂寞，或者嫁給別人，卻驚訝發現自己還是時常感到寂寞。

「她們感到寂寞並不是因為結婚，」他說。「而是因為人經歷寂寞是正常的。」

丹佛的離婚訴訟律師艾德拉．波林告訴我，根據她的經驗，許多因為「想要更多」而與丈夫離婚的女性不會找到更好的人。她說，更多情況是前夫再婚（對象更年輕），新妻子得到他所有的愛、陪伴、經濟支持和照顧，而離開他的妻子最後只能在單房公寓裡，訂閱 Netflix，白馬王子連影子都沒有。後來，她終於珍惜她所擁有的，即使前夫依然單身，她已造成了無法挽回的傷害，前夫不會再接受她。

布朗大學的精神病學家斯科特．哈爾茲曼告訴我，一位女性來找他，說她的伴侶被公認是個好丈夫和好父親，他受到她父母的喜愛、絕不搞婚外情、而且長相俊俏，但她就是「沒有感覺了」。她忍不住設想，也許離婚會更快樂。

哈爾茲曼告訴我：「於是我說，『想像一下，在孩子的足球賽場邊遇到了他，現在你們已經離婚。想像他的新女友在他身旁，想像新女友用深情款款又崇拜的眼神看著他。』她說，『好吧，我可以想像。』我接著問，『為什麼這個女人會那樣凝望著他？』突然間，她列出了丈夫一直以來被她忽略的所有優點，她也可以選擇深情款款地看著那個人。我們以為一段關係完不完美是因為**我們的伴侶**，但這段感情裡面有兩個人。」

這就是為什麼阿瑪托建議別人認真思考分手或離婚的**原因**。

「你可以問幾個問題，很快就能發現一個人對伴侶的感覺，」他說。「『我愛他，但我對他沒有戀愛的感覺』和『他不是一個好配偶』是截然不同的。」在阿瑪托的一項研究中，他觀察那些現在認為對方是「好朋友」的夫妻。他發現，隨時間推移，重要的是以友好方式解決衝突的能力、整體的協調性、以及在價值觀和目標（宗教、孩子與如何教養）方面的基本共識。

「讓婚姻長久走下去取決於更務實的事情，」他說。「這不是單身者認為興奮有感覺的事情，但如果想要長久的婚姻，他們需要開始尋找婚姻中重要的東西。」

阿瑪托的研究證實了許多婚姻穩定的人似乎都知道的道理。我在二十幾歲約會的時候，為什麼沒有人跟我分享這些見解呢？當然，在我自己的朋友圈裡，有一些睿智的人可以告訴我。

事實上，還有最後一位「專家」，我必須和他談談。

23 拜訪拉比

A Visit with the Rabbi

這位「專家」是我在當地的拉比。

我和專家們談論越多關於約會的話題，越覺得今日單身人士的問題部分在於缺乏與當地社群有意義的連結。在過去，談到感情問題時，家庭、鄰居和精神領袖經常向年輕單身者提供常識性的建議，但現在「社群智慧」似乎更常來自於實境秀、每日談話型節目、以及單身朋友們傳來的最新「男孩消息」。

所以我想知道：關於激情、妥協和選擇合適的伴侶，拉比會怎麼說？我打電話給洛杉磯猶太教會西奈寺的首席拉比，大衛．沃爾普。他是一位有智慧、五十多歲的已婚人士，不久前被《新聞週刊》雜誌評為美國最有影響力的拉比。當我跟他說想聽聽他對戀愛的看法時，他邀請我去他擺滿書籍的辦公室聊聊。以下是他的說法：

過於舒服的感覺

我：您認為火花在婚姻中有多重要？

拉比沃爾普：很有意思，很多人在約會時會來找我，說：「我只是想找一個能讓我做自己的人。想找一個能讓我感到完全舒服的人。」但人在婚姻中想要的，並不是人在約會中想要的。同樣的舒服和輕鬆感會被解釋成：「你和我在一起太舒服安逸了，你都不努力！」那麼，你是想要刺激還是舒服？從長遠來看你想要什麼？

我：您認為從長遠來看什麼是最重要的？

拉比沃爾普：在我看來，婚姻能否維繫，最大的決定因素並不是火花，而是兩個人的期望有多相似。如果他們對婚姻的期待天差地別，或者成長背景截然不同，而他們還沒有真正解決這些問題，那麼在一起會很辛苦。我認為，長遠來看，善良是最有用的且最被忽略的特質，人們應該追求它。

與羅伯・萊克約會

我：您看過了我的擇偶清單。如果一個四十一歲的女人拿這份清單給您，您會說「這位女孩在做夢」嗎？

拉比沃爾普：嗯！我也會這樣對三十一歲的人說。

我：三十一歲？

拉比沃爾普：就算二十一歲，我也會這麼說，因為二十一歲的人會被無關緊要的事物所迷惑。即使和品味很差、無法分辨顏色、無法挑選畫作的人結婚，你也可能過得非常幸福。

我：那外貌特徵呢？

拉比沃爾普：那麼羅伯・萊克出現了，妳會和他約會嗎？他只有四呎十吋半高。

我：在合理的身高範圍內可以接受，但只有四呎十吋？我認為我不會被這麼矮的人所吸引。

拉比沃爾普：我理解，但妳不覺得人是會變的嗎？

我：您會對一個男人這麼說嗎？您會說「有個女人體重兩百五十磅，但她真的很特別，你能接受嗎？」

拉比沃爾普：我是這樣想的。假設妳有百分之五十的機會和五呎九吋的人在一起，這是妳喜歡的身高，但也要取決於他能帶給妳什麼。現在，妳可能只有百分之五的機會和一個低於五呎四吋的人在一起，但這也是機會，別立刻下判斷，我是說，也許妳和丹尼．德維托[3]或羅伯．萊克[4]相處一個小時，會突然發現，這個人是我可以共度一生的人，即使身高永遠不理想。另一方面，以不善良的人為例，妳百分之百不會和這種人在一起。所以我說，什麼是真正不可或缺而不是可能性很低的條件？在我看來，真正不可或缺的條件是性格。丹尼．德維托的妻子看起來很幸福。

3 丹尼．德維托（Danny DeVito）：義裔美籍知名演員、製片人、導演，曾以電視劇《計程車》獲頒艾美獎與金球獎，身高為一百四十七公分。

4 羅伯．萊克（Robert Reich）：美國經濟學，曾任美國第22屆勞工部部長。患有多發性骨骼發育不良的遺傳性疾病，成年後身高僅一百四十九公分。著有《超越憤怒》和《國家的工作》、《理性》、《超級資本主義》、《餘震：下一個經濟體》和《美國的未來》等書。

與婚姻結婚

我：您認為單身人士在約會時應該多考慮什麼？

拉比沃爾普：我認為婚姻就像建築物一樣，婚姻到了某個階段，妳不再只是和一**個人**結婚，妳是與這段**婚姻**及其代表的一切結婚。孩子、你們共同擁有的過去、朋友……妳已經和整個婚姻生活結婚，不是交往時那個獨立的個體。例如，我看著我的妻子時，我不僅看到她，我看到我的女兒、我們所建立的生活、我們所擁有的朋友、以及到目前為止我們所克服的種種。

我：那些一直等待碰到完美伴侶的人沒有意識到這點嗎？

拉比沃爾普：人在約會時不會知道這些。我的意思是，即使他們在理論上知道，實際情況也無法知道。就像人對自己的孩子有許多規畫，但他們不知道他們的孩子將會是什麼樣子，例如，我們生了女孩而非男孩，這件事讓我們的家庭和生男孩的家庭有很大的不同；在女兒出生六個月後，我的妻子罹患癌症，我們不能再生育了……這些都是婚姻組成的一部分，妳並不會去想「他夠高嗎？」或「她夠漂亮嗎？」這些事情。在某些方面，我認為在你們建立共同生活之後，那些約會時看似非常重要的特質，都會被後續發生的事情所淹沒。

我：您怎麼看待靈魂伴侶這個概念？

拉比沃爾普：靈魂伴侶是一個美好的概念，只有當它真的發生時才值得相信，在妳找到那個決定共度一生的人之前，相信這個概念是很危險的。在現實生活中，我們和很多人在一起都會感到快樂，只是每個人的靈魂與不同人在一起時，會有不同的感受與發展方式。

與他的妻子分手

我：您說曾經與您的妻子分手是什麼意思？

拉比沃爾普：我們在交往期間曾經短暫分手。因為她不是我心目中拉比妻子應該有的模樣，我遇見她之前，她經營一家馬場。但是，即使我腦海裡有個預想角色，這個人還是取代了這個角色。後來我們重修舊好，因為她就是我想要的人。

我：您當時在尋找什麼？

拉比沃爾普：我想可能是和學者在一起，但她並不是那樣的人。我想找個熱愛英國文學的人，她不喜歡，但不重要；不過因為我是拉比，我認為應該和一個能夠在正式場合談笑自如的人在一起。我們婚後的最初幾年，每次妻子和我出席一個不能穿牛仔褲的場合，都會感到煩惱和掙扎。事實上，在我認識她母親之後，她對我妻子說：「這是你第一次和沒穿勃肯拖的男人交往，他穿鞋子耶！」

我：真有意思，因為我訪談過的婚姻研究專家表示，剛開始差異可能顯得可愛，但最後性格相似的人處得比較好。那您為什麼認為這些差異在您的婚姻中發揮作用？

拉比沃爾普：我們在一起不是因為差異，而是因為**相似之處**，我和妻子有很多深層的相似之處。我們喜歡和不喜歡的人幾乎百分之百同個類型；無論是政治還是宗教，我們看待世界的方式大致相同；我們教養孩子的想法也很像。所以，我想說，雖然起初我可能沒有意識到，但在深層的核心價值觀方面，我們是相似的，在不相似的部分，我們也可以調整。深層的相似之處比表面上的差異更重要，差異幾乎沒有影響我們共同建立生活。她說：「我鼓勵你去做你自己的事情。如果讓你自己去參加晚宴你會不自在嗎？」事實上，我自己去完全沒問題，因為我要從事拉比工作，在桌邊走來走去，所以我們解決了這個問題。早期，我對拉比的妻子有個固定想法，這些年來已經改變，想法變得更靈活。

關於倒垃圾一事

我：在新人即將結婚前，您會給他們什麼塔木德智慧呢？

拉比沃爾普：我最常說的不是塔木德教義，而是我們婚姻早期的經驗，關於倒垃圾的事。當時妻子跟我說：「你能倒一下垃圾嗎？」而我總是回她：「等一下。」每次有人請我做事我都是這樣回答。幾分鐘後我進屋子，垃圾已經被拿走了。我非常生氣！我覺得她這麼做是為了讓我內疚，因為她請我做的時候我沒做，我母親以前常常這樣。妻子非常驚訝我會生氣，因為她認為她只是在幫我的忙，但我有很長一段時間都不相信她的說法。這類事情變成我們之間的問題。

我想，這是因為很多人無法相信別人的不同作法。我們沒有意識到，我們必須以讀懂一個科目的方式來讀懂一個人，光憑感覺是不行的。你必須聆聽對方，相信他們告訴你他們是怎麼做事的。這是非常反直覺的事情，因為我們都相信自己對人的直覺，但實際上判斷可能完全錯誤。你的直覺是根據你認識的人，而你即將瞭解的這個人不是你的母親、不是你的前女友、不是你的姊妹。

所以我會告訴年輕夫婦，他們需要接受兩人做事方式不同的事實，這與他們成長的家庭不同，他們必須尊重並傾聽對方。很多人在交往期間因為這些事情分手，錯過了真正瞭解對方的機會，他們在沒有真正瞭解別人之前就拒絕對方，然後又想知道為什麼找不到對象、為什麼還單身。

這些與謝爾頓二號有什麼關係？

拉比說得沒錯，不要在瞭解別人之前就否定對方。在我們第三次約會中，謝爾頓二號繫了蝴蝶結領結，我們要去看電影。不是他在約會網站照片上的那款，這款領結是灰白色格紋，他到底有多少這種蝴蝶結領結？

我開門看到那個領結，開玩笑地說：「我想我應該多打扮一下。」他笑了，告訴我他對領結的鍾愛，儘管他知道喜歡領結很少見。然後，他解釋事情是怎麼開始的。

當謝爾頓二號還是小男孩時，他的爺爺總是繫著領結，而爺爺是他最好的朋友。有一天，他跟爺爺說：「長大後，我也要像你一樣！」

「你想當牙醫嗎？」他爺爺問，謝爾頓二號回答：「不是，我想戴領結！」這件事後來變成家族流傳的笑話。二十年後，爺爺去世時，謝爾頓二號繼承了所有的領結（爺爺還記得！）所以謝爾頓喜歡戴領結，因為它們讓他想起了深愛的爺爺。

我太喜歡這個故事，這讓我更喜歡謝爾頓二號了。想想我差點沒寄信給他，因為我當時覺得，「哪個呆子會繫上粉色圓點的蝴蝶結領結？」

離開拉比的辦公室後，我想我已經問得夠多了。過去幾個月以來，我從拉比、科學家、婚姻研究人員、戀愛專家以及媒人那裡得知了關於情感關係的一切，不僅對我的生活，也對我訪談過的女性朋友的生活發揮積極作用。

所以，在我和謝爾頓二號約會的同時，我也請其中幾位女性分享她們自己的故事。

24

克萊兒的故事——克服自我

Claire's Story — Getting Over Myself

如同許多女人，克萊兒似乎除了男人什麼都不缺。她不是缺男友，只是找不到共度一生的人。後來有些事情改變了她。接下來聽克萊兒怎麼說：

我單身時，別人總是說我聰明有魅力，所以我不明白為什麼我找不到愛。我身邊一直都有男友，但回過頭看，他們都不是我想結婚的人。我過去追求外表很吸引人的男孩，你知道的，就是那種金髮碧眼或經典深色髮的俊男，和他們走在街上感覺很好。我的男友都很聰明，也會逗我開心，我是個外向的人，所以必須找個開朗的人。

但這幾段感情都沒有結果。歷任男友中，一個酗酒，一個總是壓力很大，無法照顧好自己。其中一個和我分手是因為他說我要求太高，但我認為可靠和誠實不算苛求。至於上一個，則是不想要孩子。我認識他時，他說他可能會想要，我不想聽到「可能」這個詞。

我在網路上約會很多次，但我很挑剔。如果他們說太多話、或在電話裡笑的時候發出豬鼻聲，我會立刻讓他們出局，我想著，**我不能忍受這些事情一輩子**。

我小時候常常幻想我會在超市遇到一個男人，我不小心掉了一罐豌豆，然後他幫我撿起來，我們會從此過著幸福美滿的生活。長大以後，則開始有些「高大、黝黑、英俊」的幻想，這個理想形象會不知不覺跟著你，阻止你看得更遠。

他和以前交往的對象不同

我三十八歲時，透過網路認識了現在的丈夫克里斯，當年他四十五歲。我很想結婚，也擔心生小孩的事，但更重要的是想找到合適的人。我喜歡他的個人簡介，照片上的他看起來很可愛，但從網路交友照片中無法真的看出一個人長什麼樣子。

第一次與克里斯約會時，我們在咖啡廳見面，聊了一段時間，我覺得他很好，有點吸引人，但並不像我平常約會的對象那麼帥氣。他不高，只有五呎八吋，也沒有豐盈的頭髮；他不像我平常喜歡的對象那麼油嘴滑舌，也不會和我鬥嘴，我以前覺得那樣很好玩。他有時候會說錯話。反正和我以前喜歡的那些人就是不太一樣。所以沒有想過，「這個人就是我要結婚的人。」我只是心想，「他人不錯。」我想唯一能形容的感覺就是，和他在一起很安心。我覺得可以信任他。

之後我和他約了幾次會，但事後我和朋友通電話，我卻又說：他太瘦了、沒什麼抱負。因為他在同一份工作中待了好幾年，卻從未得到加薪，加上他來自一個小鎮，做事有點慢條斯理。我想，這簡直是瘋了，我是城市女孩，兩人不可能交往的。但我喜歡和他相處的感覺，勝過和其他任何對象。大約五個月後，我是真的喜歡上他了，我們大約交往了一年，即便我總是有所保留。在我生日那天，他拿著氣球來找我，我看見他的第一個想法卻是，他太瘦了。

我知道這樣說聽起來很糟，但以前的工作讓我接觸到許多賺很多錢、每天西裝筆挺的男性，他們英俊、事業有成、有魅力，雖然我與那種類型的人約會過，這和克里斯在一起的感覺很不一樣。和克里斯在一起的日常生活非常愉快，我們可以一起開心逛超市、划輕艇、他也很尊重我。只是這樣的生活沒有我幻想的那樣令人興奮，他沒有給我那種遇到結婚對象的強烈感覺。

還有其他事情困擾著我。我想知道他為什麼四十幾歲仍然單身？他並不是害怕承諾的人，他真的想結婚，只是似乎遇不到對的人。後來我知道原來他被前女友傷害過幾次，花了一段時間才重新振作，但當時我又納悶，如果其他女人都不想和他交往，為什麼我要和他在一起？此外，我的個性比較急，而他的思考速度比我慢。不過，我漸漸發現他可以用更少的話說出非常深刻的道理，我喜歡他的踏實穩重。他身上有種讓人平靜的氣質，真的是很好的人。

以上種種，他的吸引力對我來說還是起伏不定，我覺得如果我的疑慮這麼多，這個人大概不適合我。

四十而惑

三十九歲時，我和他分手了。我想，**我不該因為生理時鐘在滴答倒數而屈就**。我告訴克里斯，這段感情不會有結果的。之後，我遇到一個英俊帥氣的人，我深受他的吸引，這股吸引力蒙蔽了我的雙眼，他能言善道、懂得如何討好我、他在上西區一棟高級大樓裡擁有一套很棒的房子，他有點讓我驚艷，但他不想要小孩，也不能像克里斯那樣理解我。克里斯太懂我了，例如，如果我開始試圖吵架，克里斯不會加入，而是會等待我情緒穩定再討論。後來克里斯想要復合，於是我們就重新在一起了。

那時我四十歲，很寂寞，也厭倦了約會。我不知道自己為什麼離開克里斯，也許我希望他的外貌能更吸引我？否則，有人如此愛你，而你卻不在意，實在令人困惑。當我再次見到他，他變胖了，我想，他對我果然沒有那種吸引力，我以前對他骨瘦如柴感到厭惡，現在我對他的體重感到厭惡！但是我知道克里斯會為我做任何事，我不應該聽從那些膚淺的想法。畢竟，看著年紀比我大的單身女性一直在約會，**我不想變成她們**。

理想伴侶

六個月後，我仍然舉棋不定，尋求各種認可。我閱讀書籍、詢問朋友。有一個單身沒男友的朋友，她跟我說：「妳確定妳愛他嗎？」她鼓勵我猶豫，但我覺得她只是不想成為朋友圈中最後一位單身人士。所謂不快樂的人喜歡拖人下水，對吧？而我那些已婚朋友則都說，他們真的很喜歡克里斯。他們覺得他善良、踏實、深情且穩重。

這種困惑的感覺簡直要我命！

記得我們剛交往時，我在派對上遇到了一位非常漂亮的女士。她介紹我認識她的先生，他的身高五呎四吋。我以為她會和不同類型的男人在一起。後來，我們變得比較要好，聊到男人的話題時，她說：「我沒想到我會嫁給一個比我矮三吋的人，但我愛他。」理由就這麼簡單。

所以我想，我必須克服自己對理想伴侶的刻板印象，執著於此是非常自我為中心的行為。

更深層的浪漫

克里斯很會照顧人。他非常貼心，這也是讓我在迷惘之際仍留在他身邊的原因。我喜歡滑雪，他也去學了滑雪，這樣我們就可以一起滑。他很浪漫，但完全不同於我以前習慣的那種方式，對克里斯來說，簡單的日常小事也可以很浪漫，不一定非得是讓心跳加速的事情。他會說：「一起去看月亮吧」，然後握著我的手；起床時，他已經為我準備了蛋、買好報紙，所有的東西都擺好在那裡。我想，哇，真的很貼心，而且會持續一輩子。

並不是指生活中不需要激情，我也感受得到激情，只是以一種更低調的方式。像是，我們一起去跑步，他會摘了花，擺在我們房間的花瓶裡。他身上有很多我以前小看的女性化特質，現在我開始懂得欣賞。而且我們的性生活愉快。並不是因為他的外貌比我以前交過的男友更有吸引力，事實上，我永遠不會覺得他有多大的吸引力，但我不再關注他某些不吸引人的地方，而是專注於他漂亮的藍眼睛。

有天晚上我在刷牙，往臥室看去，發現他躺在我睡的那一邊床上。我說：「怎麼……我們要換邊睡嗎？」他回：「沒，我只是幫妳暖一下床。」他知道我每次進被窩都覺得很冷，然後我才發現，他之前也都這樣，只是沒告訴我。他沒有一百萬美元，但我認為這個故事值得一百萬美元。

我也考慮到他為這段關係帶來非金錢方面的東西，像是接孩子放學這類的事。他絕對能說是育兒團隊的真正隊友，他喜歡孩子，我認識他的時候，他正在幫助貧困的孩子學習閱讀、在動物收容所做志工。我的薪水仍然是他的兩倍，在理想的情況下，我的先生應該和我賺一樣多嗎？我想是的。但有很多東西我從賺更多錢的男人那裡得不到，而我從他這裡得到了。

我們復合後一年結婚，真希望當初沒有浪費那麼多時間思考他是不是我的命定之人。我想要不同的「感覺」，但直到我跳進水裡，才知道水是溫暖的且感覺很好。確實如此！我花了很長時間才愛上克里斯，但我現在絕對愛上他了。當我覺得矛盾時，有人說：「問問你自己，如果他不是對的人，妳為什麼還在？」

我沒有得到我想要的所有東西，但我不覺得這是妥協。我的丈夫正直、關心家庭和整個世界，他比我更寬容，從他身上能學到很多東西。如果我們開始有問題，他會去諮詢、他會去參加研討會、他對生活中的事情總保持開放態度，這些都是性格方面的優點。我有一個靠山，可以讓我過自己的生活，而不是等待機會降臨而無所適從、他是我每天最想聊天的人。**這些都超越了我想要一個毛髮濃密的胸膛、更時尚和愛狗的人。**

25 亞歷珊卓的故事——「對的人」在眼前

Alexandra's Story — Mr. Right in Front of Me

我喜歡亞歷珊卓的故事，那讓我們知道，有時眾裡尋他千百度，那人恰在眼前不遠處。以下是亞歷珊卓的角度：

信不信由你，我和我丈夫是透過當時男友認識的，他們是室友。凱文正在辦理離婚手續，我男友約翰讓凱文暫時住在他那邊。我那時候三十三歲，已經和約翰交往兩年多，偶爾三人會一起出去。但我只把凱文當成約翰的室友，沒想太多，他絕對不是我喜歡的類型，甚至不在我的雷達範圍內。我喜歡運動型的，而凱文身材都走樣了。他並不是積極進取的人，也沒那麼風趣。而且當時約翰是我心目中的完美先生，我們在靈魂層面很契合，同樣樂觀看待生活，擁有相近的幽默感。所以即使約翰有點冷淡，我也能夠忍受。

約翰工作繁忙，每次打電話給他，反而和凱文越聊越多。在這段感情中，凱文替約翰找過各種藉口，老實說，我抱怨歸抱怨，也是一直為約翰辯解。他是我的理想伴侶，所以我會試圖合理化任何有違理想伴侶的行為。

不久後，凱文重新展開他的生活，搬到了自己的住處，不過那時我們已經成為要好的朋友。我們在電話裡無所不談，就像和我的女性朋友聊天一樣，即使沒有共同的興趣，我們也可以從任何話題切入開始交談。我喜歡每天和凱文聊天，但我「愛的」是約翰。

約翰總是說他會多陪陪我，但說話完全不算話。讓我對約翰忍無可忍的是，本來我們要享受二人時光，結果他帶著凱文出現，說他可以出來玩一下，然後又得回去工作。他離開後，我真的很生氣，但凱文非常貼心且善解人意。那晚凱文沒有替約翰找藉口。我敢肯定約翰從未想過凱文是個威脅，因為凱文不像約翰那樣迷人，他是一個「安全的」好朋友。確實如此，我對凱文一點也不感興趣，他就是個男性友人。

當他是哥們

那晚之後，我和約翰分手了。當時我們已經在一起三年，我心都碎了，可是這段感情不會有結果的。約翰不想分手，哀求我回來，所以我們復合了幾個星期。但後來我發現，他只是口頭答應我的要求，卻不肯兌現承諾。言行不一。為了修復關係，約翰總是能說出任何話。我告訴他這樣走不下去，當然，他又說了一些我想聽的花言巧語。

他會說：「等到那個時候，我們可以怎樣怎樣」，但不會給出任何承諾，例如：「我想和妳結婚，和妳攜手共度人生。」我不會再上當了！雖然傷心欲絕，但我知道必須和他分手。但更蠢的是，我當時依然認為他是我的靈魂伴侶！只是我的靈魂伴侶不想和我在一起。現在我才發現，原本以為的靈魂伴侶根本不適合我，但那時候的我卻如此悲傷。

我感覺糟透了，而凱文和我每天保持聯繫。你知道的，像是「嗨，哥們，怎麼樣？」凱文會拖我出去和他朋友們玩，讓我開心點。我們會結伴出去跳舞。那時我三十四歲，而凱文離婚後又開始約會。我們都透過電話登錄 eHarmony 網站，互相幫對方填寫個人資料，我們會點開一個人的檔案，然後問對方「他適合嗎？她怎樣？」很好玩。我們經常一起出去。在他身邊我總是很邋遢，從來沒有想過讓自己好看一點，或是對他產生浪漫的情愫。所有朋友都說我們應該交往，但我說那會像是和我的哥們約會，他也會像是和自己的姊妹約會一樣。

追求錯誤的理想

然後，有一天晚上，他邀請了一些人過來，他們離開後，我們聊到很晚，最後竟摟在一起。記得我當時很驚訝，心想：「太奇怪了，但感覺也挺好的。」

我們討論過這件事，兩人都害怕最後會有不好的結果，因為我們之間那麼要好。所以我們決定不再追究。但與此同時，我已回不去原本的友誼狀態，突然間我整個人被他吸引了！在那種曖昧的氣氛下很難再繼續相約出門，於是我們說：「不然試試看這段關係會怎麼發展。」

或許聽起來很蠢，但我們就是這樣開始嘗試交往的，兩年前相遇時，我們對彼此還沒有任何興趣。經過那些與朋友們一起出去玩的夜晚，或者只是當成好朋友閒聊相處的時光之後，兩人之間有某種東西被點燃了。我們追隨那團火花，知道彼此核心價值觀相符，所以很快便演變成熊熊愛火。

有趣的是，嘗試交往後和當朋友時沒什麼差別，除了性愛（真是太棒了！）我們也更敞開心房，分享彼此更柔軟的一面。不過基本上，我們其實已經柏拉圖式戀愛了兩年，只是沒有發現。這在過去會被視為像是交往的狀態，但因為我們不覺得是約會，所以毫無壓力，我們只是做自己。當他朋友的這段時間，我知道他是怎麼與別人來往，看到他和他女朋友的相處模式；我幫他挑選衣服穿搭；我知道他對其他女人的不安全感，也知道他的喜好；我能看穿他的任何掩飾，而且這種情況是互相的，我們就是我們自己，沒有偽裝。最後，我們愛上了對方。

我想，如果最初是在約會的情況下認識凱文，我可能會對很多事情抱持批評態度，說他缺這個或缺那個的。而我也不會走入他的內心，瞭解到現在他讓我愛上的那個部分。起初我不認為他適合當男友，因為外型既不是我喜歡的，個性也不像我交往過的男生那樣開朗。他總是故意表現出一副粗魯的樣子，我心想：「唉，又來了。」但逐漸瞭解他以後，我發現他內心其實很柔軟，他只是在保護自己脆弱的一面。

我很慶幸，這份友情讓我們有機會看到對方身上的其他部分，如果我們一直約會和分析「要和這個人結婚嗎？」，我們可能不會看到；我可能還會拿他和約翰這種原以為是理想類型的人做比較。

我一直在追求那個理想，但最後才意識到，我認為的理想並不適合我。

恰到好處的平衡

我和凱文擁有一段真正浪漫的關係，符合浪漫的真正意義。凱文會做體貼的事情，他會煮飯、洗衣服，甚至因為知道財務負擔讓我煩惱而決定把車賣掉。他說：「我們即將迎接兩週年紀念日，我想這樣做是正確的。」即便會想念那輛車，他還是感謝我幫他處理這件事！這段友誼讓我們建立對彼此的尊重，讓兩人感情一直升溫。

約翰永遠無法成為像凱文這樣的人，一個永遠支持你的可靠、正直的人。在建立家庭的過程中，他完全積極參與，而不是旁觀者。我們互相分享彼此發生的事情、心裡在想什麼、遇到什麼狀況。我們可以交換不同意見，並討論原因，總是抱著我們能夠克服困難的態度。凱文善於察言觀色，理解對方的想法，如果兩人太激動時，我們會說：「等到冷靜下來再解決。」他成熟而不傲慢，他參與而不黏膩，一切都處於恰到好處的平衡。

隨著我們的婚姻之路繼續往前邁進，很多我想要的東西都一一實現。也許是因為沒有不切實際的期望、接納彼此並相互尊重，那些我以為伴侶身上沒有的特質都以最驚人的方式展現出來。也許我只是好運，但這讓我想起了幾個相親結婚後發展出真愛的故事。我們的婚姻之所以成功，是因為它不是建立在不可企及的完美幻想上，而是建立在「愛是靠創造而非現成」的認知上。

26 希拉蕊的故事——找到我需要的

Hilary's Story — Finding What I Needed

希拉蕊不必戀愛教練幫她區分想要和需要的差別。她很聰明，自己想通這個道理。接下來聽希拉蕊怎麼說：

遇到羅伯的時候，我剛與交往一年多的男友分手。前男友和我都是瑜珈愛好者，我們有很多共同點。但關係很糟，他對我不好，經常貶低我。最終我離開了這段感情。

我當年三十一歲，想再回學校念書，成為物理治療師。我正在上醫科預備課程，而羅伯也在這個物理實驗室。我覺得他很可愛，但我們之間沒有默契，沒有什麼「火花」。我不喜歡他的鬢角，那讓他看起來像是某個團體或幫派的一員，不在我的社交圈之內。我和其他男生會打情罵俏、相互鬥嘴，我喜歡聊天和開玩笑，但我和羅伯不會這樣，不過兩人在實驗室裡還是很友好。

後來某天我有一場舞蹈演出，我把宣傳單發給了班上同學。當我把傳單拿給羅伯時，他顯得非常興奮。我心想，**不妙，我可不想讓他有錯覺**。但是，在所有我邀請來觀看演出且表示會來的人當中，只有他出現！我突然意識到，或許我想要的是一個會出現的人。所有和我約好的男生都說話不算話，但羅伯出現了，他積極展現出自己的誠意。

活動結束後，我對他有了更多的認識。我發現他是飛行員，我覺得這很有魅力。直到晚上結束我才知道他只有二十六歲。他跟我要電話號碼，我說：「你可能需要知道我的年齡。」我告訴他之後，他說：「那又怎樣？我不介意。」

隔天他打來：「我玩得很開心，妳要去補課嗎？」我說對，他到教室後，我讓他坐在我旁邊。

也許他適合玩玩

一開始我想，如果他剃掉鬢角的話，我可以在寒假期間和他談個短短的戀愛。但越來越瞭解他以後，我漸漸被他的個性所吸引。他非常善良且寬宏大量，我之前遇到的男生都沒有這種慷慨的氣度。我仍然不覺得他適合當男友，但我想他夠成熟可以應付一段短暫的戀情。那時，我所有的朋友都已結婚生子，而我在假期裡無所事事，我討厭孤單的感覺，我已厭倦多年來一直揮舞著單身女孩的旗幟。我不怕一個人去看電影或酒吧，但偶爾也需要一些男性的關注。

於是我們在假期一直出去玩，羅伯的種種行為都讓我印象深刻。我們和朋友們一起團體約會，然後有一晚我們親熱了。他有點過於急切，所以我很擔心，我不想給他希望。幾天後是跨年，前男友突然說想見我，當然，我去了。我知道他不是什麼好東西，但我被他身上那些我認為男人應該具備的特質所誘惑，而那些特質是羅伯沒有的。

不過，在下一次見到羅伯時，又和他在一起的感覺很好。羅伯和我去溜冰，在排隊買薯條時，他把我的手握在背後，這種感覺真的很棒。

懷疑自己

但是我沒有小鹿亂撞的感覺。想到在彼此生命中可能扮演什麼角色而浮現的緊張、興奮感，我對完全不適合我的前男友就有這種感覺，但對羅伯卻沒有。之前我告訴他我不喜歡鬢角，他就把它剃掉了，但化學反應與整體感覺有關，他還是沒有我以前約會的那些男生酷。

羅伯和我繼續約會，主要是因為我太喜歡待在他身邊。每次我都覺得應該結束這段關係，因為他不是我的理想丈夫，但一想到要分開，我就感到很難過，所以兩年來對他的態度總是很矛盾。我開始懷疑自己的直覺和本能，如同其他人都知道那個練瑜珈的傢伙是混蛋，我也看錯了這個人。那麼，要是我也看錯羅伯呢？

朋友們、甚至我自己的家人都認為羅伯配不上我，這一點幫助都沒有。我姊姊認為他太年輕、有點無聊、過於沈默寡言。我媽說：「他似乎有點無趣，而妳是強勢的人，希拉蕊，」這些讓我受到打擊，因為這也是我的不安全感，於是我開始把他藏起來，不帶他出席家族聚會。其他人也說他們以為我會和非常有魅力的人在一起，因爲我非常外向，我也總認為我會和像我一樣的人在一起。羅伯安靜且有點宅，當我們獨處時，他能滿足我對談話和耍白癡的需求，但在群體中，我會忍不住拿他與其他人的男友比較，認為我應該跟像他們那樣的人在一起。然後回到家裡，我和羅伯又是那麼開心，我提醒自己曾與那些類型的男生約會過，他們都沒有羅伯這麼好。

我想像中的對象和實際想要的對象之間，存在很大的落差。

他談到賽車就滔滔不絕

於是我留在這段關係裡，但仍想騎驢找馬，如果更好的機會出現，我就離開羅伯。但他每一天都讓我印象深刻。他關心他的朋友和我的朋友，經常透過體貼的舉動表現出來。我喜歡他的價值觀，卻從來沒想過他是我的靈魂伴侶。我記得當時想，這個人可以成為很好的生活夥伴，我可以和他幸福地生活並擁有小孩。他願意妥協，非常善於溝通，我們在政治和藝術上有相似的信仰，在共同生活的住所方面也有相同的想法。但我們的興趣完全不同，我對賽車沒有興趣，而他熱衷於維修賽車；我是喜歡出去跳舞的人，而他根本不跳舞。

我感到有點內疚，因為我對於他的事情沒什麼興趣。而他會問我：「親愛的，今天過得怎麼樣？」然後對我的事情和生活發表評論和開玩笑。他似乎真的很感興趣，或者，即使他不是真的感興趣，至少也是很好的傾聽者。但是，當我問起關於車子的事，他會開始滔滔不絕討論某個引擎技術問題，常常讓我很困擾，我完全沒有興趣！我認為自己無法一直忍受下去。

我們交往兩年後，我差點和他分手。當時我正在攻讀物理治療學位，正是申請實習的時候。羅伯想跨越整個國家搬到舊金山，因為他的家人在那裡，而我不確定自己是否想要邁出這一步，畢竟這似乎是個重大的承諾。我想，如果我這麼不確定，我們應該分開。但後來某個星期天早上，我們一起吃早餐，和他在一起的感覺太好了，他又逗得我哈哈大笑，我試著想像分手，才發現我無法想像沒有他的生活。

重新調整對愛情的期待

我們結婚時，我三十四歲。起初，我覺得「靈魂伴侶」這個詞根本不適用於我們，至少不是我想像中的靈魂伴侶；但現在我覺得我們本質上是靈魂伴侶，因為我們憑直覺地理解對方。我曾經認為，他不是藝術家而我喜歡有藝術氣息的人，但後來我發現他其實很有創造力，不過是以另一種方式呈現。我原以為我應該和典型藝術氣質的人在一起，但他富有藝術思維，而這也很好。

現在我們經常談論工作、家庭話題和日常生活瑣事，愛好興趣不同已經不是那麼重要。我們都專注在未來、房子和孩子之類的事情。

與羅伯訂婚之前，我曾經擔心自己是否在屈就。我確定我想讓他成為自己的終身伴侶，但我必須重新調整對愛情的期待。我開始發現他的優點有多麼好，有一種感覺，這是某種非凡且深刻的開始。他非常可靠，我知道他會幫助我度過所有人生的大小事，我可以信任他、依靠他，這和「天啊，他會打給我嗎？」的感覺是不一樣的。

現在我們結婚了，我很慶幸能和羅伯在一起，他沒有符合我清單上所有想要的特質，但他擁有我所需要的特質。事實上，也許更準確的說，我的婚姻完全不是我原本期待的樣子，但卻是我想要的。我只需要開始追求更健康的事物！

27 我的故事——約會公益廣告

My Story — A Dating Public Service Announcement

好吧，你大概已經或多或少知道我的故事結局。我在第一章說本書不是關於我的愛情故事時，並沒有完全解釋發生了什麼事情，實際上，我最後和謝爾頓二號交往了兩個月。我知道，聽起來沒什麼，但考慮到我一開始拒絕任何不能讓我立刻心動的對象，我很驚訝自己能在這麼短的時間內和謝爾頓二號建立強烈的情感連結。當然，我體驗到的並不是那種相處多年所擁有的深刻愛意，但比那種剛交往的戀人經常誤以為是愛情的瘋狂迷戀好得多。

我感受到的是一種心滿意足的平靜，這種平靜可以來自於兩人只是單純地待在同一個空間，即使他用他的筆電工作，我看我的郵件信箱。我期待在一天結束時見到他，就像我期待在舒服的舊沙發上放鬆一樣。我會用最浪漫的方式說這句話：和謝爾頓二號在一起，讓我感到非常平靜愉悅。

和謝爾頓二號在一起，不必守在電話旁邊，不必猜想他是否「喜歡」我，沒有被迫扮演不是我自己的壓力。有一次，我穿上性感的黑色裙子去參加他與重要客戶的晚宴，結果離開家之前，我兒子在我臀部留下滿是肥皂的手印，我居然都沒發現。謝爾頓二號覺得很有趣，後來他告訴我，他喜歡我那樣出現，因為讓他想起了我淘氣的小孩帶給我的快樂。

如同婚姻研究專家吉安·岡薩加所說的，我們在一起的時間越長，越能感受到「瞭解彼此」的興奮感。我們雖然沒有什麼共同興趣，但有相同的幽默感，可以輕鬆地逗彼此開心；我們有相同的價值觀，而且思維模式異常地契合；即使外表可能不是對方的理想類型，但我們之間還是有強烈的性吸引力。我和朋友們談論我迅速發展的戀情時，總是使用「輕鬆自在」或者提到那個沙發比喻，但年輕的單身朋友很難理解為什麼這會讓我這麼開心（他們問：「他像一張舊沙發嗎？」），而年長的已婚朋友則感到欣慰，他們知道這段關係可以發展成真實的感情。

但現實也終結了這段關係，當你們兩個年紀都大了，有更多的承諾和時間調配問題需要處理，約會的現實也因此浮現。由於我們都有孩子，但沒有前任可以交替讓我們休息一晚，每次想見對方，都必須把兒子交給各自的保姆照顧，但經過一段時間，我們心裡開始感到不安。而且，我們想和孩子在一起。我們都很享受家庭生活。

為了繼續前進，我們必須認識對方的孩子，但當我們談論該怎麼做時，謝爾頓二號漸漸發現他兒子還沒準備好。他有個八歲兒子，一年前失去了母親。當謝爾頓二號的朋友告訴他需要再次「走出去」時，他沒有料到那麼快就出現了一個認真的對象。更複雜的是，謝爾頓二號的父母一直催促他搬回他們居住的芝加哥，這樣他們可以見到孫子，並幫助他適應這個新生活。由於在洛杉磯沒有家人，而在芝加哥有兄弟姐妹和姪兒女，謝爾頓二號知道，為了他兒子著想，這樣做是正確的。

於是他搬到了兩千英里遠的地方。

我不能否認這是令人沮喪的事，而且是一大打擊，我曾經期望我的戀愛故事可以圓滿結束。但我很高興自己和謝爾頓二號有過這段經歷，因為我親身體會到原來自己可以被之前沒有注意過的人所吸引並幸福地在一起。謝爾頓二號不是符合清單的對象，但他滿足了我的三個「需要」和許多「想要」。事實上，擁有了那麼多「想要」，缺少的那些已經不再重要，最後我只剩一個重要且單純的「想要」：我想要和他在一起。

我甚至想念他的蝴蝶領結。

但問題是：我可能太晚知道這一切了。

溫蒂的新人選

經過六個月在城市中尋找適合我的男士，當地媒人溫蒂終於認為自己找到了幾位有潛力的人選。她發了一封振奮人心的電子郵件給我，說她已經與兩名對象簡短會面，且即將在那個星期晚些時候和他們進行更深入的交談。她說，其中一名四十三歲，從未結婚，但他談過幾段認真的感情，正在尋找結婚對象，也願意與四十一歲的女性約會；他不僅外表英俊，而且聰明有腦袋。另一名是四十七歲的離婚父親，是稱職用心的家長且事業有成，但可能沒有上一位男士那種「心智韌性」。

我說：「試試吧，兩個都行，我願意嘗試。」這次我是認真的。我沒有要求更多資訊來仔細分析，我覺得第一次約會挑哪個都無妨。幾天後，溫蒂回覆我，原來那位四十三歲的男士對孩子的態度猶豫不決（這就是為什麼他願意和四十一歲的人約會；正如艾文說的，如果一個男人渴望當爸爸，他通常會在四十歲之前實現）；而「相貌不錯、正派」的離婚父親，似乎沒有溫蒂所謂的「我認為在這裡很重要的『思想生活』的活力」。

不是我挑剔，也不是溫蒂挑剔，這是她的務實態度。學歷不高但求知慾旺盛的人是適合我的好對象，謝爾頓二號絕對是。但這位離婚父親可能不是我尋找的那種人，事實證明我也不是他想尋找的人，隨著溫蒂更加瞭解他，她發現他不喜歡熱衷於學術知識的學者。所以，又回到了起點，誰知道溫蒂又要過幾個月才能找到另一個男人呢！

朋友們，這就是我最近的約會生活。

酒駕與約會

我知道，報告這樣的事情有點令人沮喪。每個人都希望有個美滿結局，對吧？每個人都想得到保證，無論年紀多大，都能找到一個很棒的人。但事實是：美滿結局是可能的，但比起年輕我十歲的人，可能性小了很多，而且美滿結局會看起來大不相同。年紀越大，約會越複雜，態度再怎麼調整也無法讓時間倒轉。

我不是想讓人沮喪，我只是想試圖幫點忙。這有點像反酒駕的視覺公益廣告，顯示酒駕撞上電線杆身亡的畫面。如果只是告訴你：「不要酒駕」，你可能會想：「好，我知道，但我可以喝兩杯馬丁尼吧？」直到你看見有人因此腦死、躺在醫院昏迷、旁邊都是嗶嗶作響的監測器，這則訊息才會產生作用。

同樣的道理，如果你沒有看到人們多麼容易跟我犯下一樣的約會錯誤而孤獨終老，你自己也會不聽勸阻而犯下同樣的錯誤。我必須呈現我這個年紀的單身現實，因為我曾經也是那些以為自己對酒駕意外免疫的年輕人——都是發生在別人身上的事情，絕對不會發生在自己身上。我從未想過自己會成為另一個約會慘案的受害者。我必須以殘酷的細節讓你看清楚，我的約會生活出了什麼樣的意外，好讓你可以做出日後回想起來不會後悔的決定。

因此，把它當成約會公益廣告：如果你在本書中看到了自己，如果你不放寬對於真命天子的看法，我就是你未來可能會怎樣的幽靈。我這麼說是出於好意，因為其實這裡要傳達的是樂觀的訊息：如果你年紀和我一樣，找到一個好男人比較難，但只要你改變作法，至少你會有更多地機會找到。而如果你現在二十幾歲或三十幾歲，不知道為什麼仍然單身，現在你不僅知道為什麼了，也知道怎麼做才能增加擁有幸福婚姻的機會。

不一樣的賦權

我的單身朋友艾莉卡，三十一歲，對於我請她閱讀這本書抱持懷疑態度。她剛經歷了一次分手，以為我要嘗試勸她對愛情「將就」。我發誓這本書不是要她將就於不會讓她開心的事，我告訴她，這是關於學習如何珍視真正有價值的東西。

她還是不太確定，但看完以後，她說自己受到鼓舞。「我覺得我可以找到合適的對象，他不必完全符合我的每一個標準（這種想法往往令人恐慌）」她說。「他不需要完全符合我心裡設想的具體形象。我喜歡這種賦權感，只要我調整態度，就能獲得幸福，找到愛情，而不是只能在對的時間、出現在對的地點、好運來臨時才能找到，這樣會讓人感到恐慌。」

和艾莉卡一樣，我發現這種更務實的約會方式令人感到解脫。知道找到好伴侶在許多方面並非只是某種隨機外部事件，而是基於我們自己的選擇和行動，這真是令人欣慰。有趣的是，我們大多數人並不是因為外表或體重，學歷或工作，或者是否主動約男生或等三天才回電話而單身。我們單身是因為內心深處有這種念頭，認為必須與伴侶完全同步，如果沒有，就應該另尋他人。

這使找到合適的人變得非常困難。

就像我的已婚朋友琳恩所說的那樣，「調整自己的觀點，實際上讓『狩獵』更有趣、更容易管理、更好玩，並減少失望。當你調整標準（並不代表你得給一個完全讓你反感的人『一次機會』），你會給更多人機會，認識更多人，讓自己感到有趣且獲得驚喜。」

我的情況或許不是我所希望的，我不想一個人單身到四十一歲。但也許這個狀況迫使我更加專注於最重要的事情，如果我碰巧遇到了某個人，那麼我可能會擁有一段更好的關係。但是，如果很久以前就能意識到這一點，那該有多好啊？現在我無法改變過去，但也許你可以。

嘿！妳，穿粉色衣服的那位

對，就是妳。前不久，我坐在電影《他其實沒那麼喜歡妳》的觀眾席上，驚訝地看著二十多歲的年輕人在座無虛席的影院中，驚嘆、鼓掌、歡呼、哭泣，當那個過去七年一直不想婚姻的傢伙向珍妮佛．安妮斯頓飾演的角色求婚，或當賈斯汀．隆飾演的精明男終於承認自己愛上了珍妮佛．古溫飾演的角色時，他們甚至快從座位上跳了起來。

在一段浪漫的告白裡，他告訴她，如果一個男人表面上對妳不怎麼在乎，他就真的是不在乎，沒有例外；但她，是這個規則的例外。我猜女性觀眾之所以會對這些幸福但極不現實的結局感到如此興奮，是因為她們也覺得自己是例外，規則不適用於她們。我曾經也是這樣的女人，即使我知道從統計學的角度來看，這是不可能的。我不是例外，妳大概也不是。

所以我想說的是嘿，妳！對，就是妳！穿粉色衣服的那位，我在跟妳說話。這不是要讓妳感到不舒服，而是要讓妳有所領悟。不要覺得自己高人一等能讓妳更瞭解自己，進而做出更好的決定，讓妳更有機會得到妳想要的東西。否認這一點只會讓妳一直用失敗的方法來約會。如果妳單身，卻不想繼續單身，看到這裡還認為不是在講妳——或許不是，我承認。但妳確定嗎？妳有做出明智且自覺的選擇，挑選適合妳的男人嗎？

好消息是，如果想要改變，妳可以辦到。雖然改變可能需要一些時間，但沒關係，畢竟妳花了多少年才培養出這些自我破壞的態度？十年前，沒有人告訴我寫這本書的過程中學到的東西，或者即使他們告訴我，我也沒有聽進去。妳不能因為沒人告訴妳就責怪任何人，但妳可以因為沒有聽進去而責備自己。

妳認為妳的理想對象會奇蹟似地明天出現在妳家門口嗎？沒關係。妳想看看如何在約會中變得更加理性，讓幸福更容易到來嗎？那也很好。

請記住，選擇在妳手中。妳擁有這些內容，剩下就看個人造化了。

Epilogue

尾聲：她們後來怎麼樣了

Where They Are Now

茱莉亞，先前因為葛雷格「不夠具有啟發性」而分手，之後又與迷人的外科醫生亞當分手，理由是他沒有給予「足夠的支持」。她表示，與亞當交往後，才發現葛雷格實際上更具啟發性。現在他們訂婚了。

「請不要在書中使用我們的真名，」茱莉亞說。「我不想讓別人知道我有多傻！」

潔西卡，因為當時覺得自己太年輕而拒絕戴夫的求婚，但後來後悔了。她現在試著不再拿約會對象與戴夫做比較，也減少了晚上查看戴夫近況消息的時間。

「戴夫已經結婚，戴夫已經往前走了，如果他能和別人建立起我們之間那種緊密的關係，我可能也可以找到這樣的人，」她說。「我只是希望他不要在 Facebook 上放他寶寶的照片，這是唯一一件我還在關注的事。」

她最近加入了紅娘網站。

布魯克，波士頓研究生，她搬出了男友的公寓，和一位家族朋友的兒子剛剛開始交往。

「在談戀愛方面，我不再使用『女性主義』這個詞了，」她告訴我。「對我的新男友來說，最重要的詞就是『婚姻』。」

凱西・摩爾，「Make Me A Match」機構的媒人，告訴我要為我的愛情生活「存錢」的那位，在我們初次電話聯繫的八個月之後打電話過來，說經濟不景氣，她們現在提供「各式各樣的優惠」。

巧合的是，我剛和一位幾個月前購買「Make Me A Match」服務的男士相親。他說，她們向他收取了六次約會四百五十美元的費用，而差不多同一時間凱西告訴我，一千塊為我安排三次約會對她而言划不來。看來，一個帶兩歲小孩的四十一歲單身母親比一個五十四歲離婚且有個十幾歲孩子的父親更難牽線。

現在凱西提出特價方案，將費用從三千五降到兩千五美元，她說：「這真的是非常划算！」

我說，我要再多存點錢。

麗莎，最近與雷恩復合了，雷恩是她兩年前甩掉的男朋友，因為她覺得對方不夠愛她。上個月，他們在共同朋友的聚會上偶遇，雖然分開期間有過其他戀情，但現在兩人都單身。「最後他沒有找到可以像愛我一樣投入的人，」麗莎說：「這一直是他的想法。」

那位在我安排她與一位我說「和她很像」的男士相親後備感羞辱的女人，至今仍然單身。「令人沮喪，」她告訴我：「因為很難認識新朋友。我起床、上班、去健身房、買晚餐、回家。雖然嘗試網路交友，但最好的認識方式還是透過朋友介紹，以前別人經常介紹給我，但最近都沒人介紹了。」

嗯，我想我知道原因。

安妮，說她從第一段婚姻中學到了什麼才重要，但實踐上卻遇到困難。她沒有和那位企業律師約會，因為她認為對方的 Facebook 簡介看起來很無聊。結果，她意外懷孕，孩子的父親是一個既非「企業人士」也不「無聊」的懶散男友。他立刻逃之夭夭，現在，三十五歲的她是一位單親媽媽。

羅蘭覺得很感動，因為她的前男友（『情感上正好符合她需求』，但有時又惹惱她的那位）在得知她母親癌症惡化後，前來安慰她。但是，當他拿出一個稍微燒黑的香氛蠟燭時，羅蘭立刻失去了興趣。

「這是全世界最糟糕的轉贈品，」她說：「沒有什麼比蠟燭更容易看出使用過的痕跡了。好笑的是，他居然可以做出這樣的事情，然後傳訊息提醒我照顧好自己，多散步，聽 iPod。他真的關心我，只是他完全不懂基本約會常識，實在是個笨蛋。」

她仍然在想，這些事情是否重要。

感謝

Acknowledgments

如果說約會需要大量的精神支持，那麼寫本關於約會的書也是如此。婚姻美滿的出版代理莉芙．布魯默（Liv Blumer）明智地引薦我給達頓出版社（Dutton）婚姻美滿的特蕾娜．基廷（Trena Keating），她從讀到《大西洋月刊》那篇文章起就對此次出版計畫充滿信心。特蕾娜是少見非常聰明又非常有耐心的人，每當我有私人或專業問題請教，她總是花很多時間和我講電話。雖然她後來離開成了代理人，仍然花很多時間和我通話，對此我萬分感謝。

在此期間，幸運的是，婚姻美滿的凱莉．桑頓（Carrie Thornton）成為我的新編輯。憑藉外科醫師的效率和姊妹淘的同理心，凱莉讀完了我打出來一大堆雜亂無章的文件，讓我在三個星期內整理成一份連貫的初稿，並坦承她完全理解我不想和身高五呎五吋的男人約會的心情。（我要補充一下，凱莉身高五呎十吋，所以我還是沒有任何藉口。）她尊重我「不用要點、不做表格、不要粉色」的哲學，我也以保證絕對不再用「俗氣兩性書」這個詞作為回報。

達頓出版社的整個團隊都很棒。布萊恩．塔特（Brian Tart）一直以最佳方式「處理問題」。莫妮卡．貝納爾卡薩（Monica Benalcazar）設計了一個超級酷的封面，領結等等。莉莉．科斯納（Lily Kosner）在幕後妥善處理無數重要任務，一人分飾多角，沒漏掉任何事情。而亞曼達．沃克（Amanda Walker）和麗莎．卡西第（Liza Cassity）寫的推薦信仍然讓我捧腹大笑。

在我出去和別人談論關於約會議題、進行實際約會、瀏覽約會交友網站時，亞倫．卡贊德（Aaron Kaczander）詳細記錄我的採訪內容，蘇珊娜．斯托塞爾（Susanna Stossel）和希拉蕊．麥克萊倫（Hilary McClellen）為我提供絕佳的研究協助。安德里亞．西格爾（Andrea Siegel）對流行文化的瞭解如行走的百科全書，她對大眾媒體的分析令人欽佩且助益很大。

下述這些人很好心在百忙之中抽空閱讀手稿並提供回饋意見：黛西．比蒂（Daisy Beatty）、凱西．克拉切（Kathy Crutcher）、瑞秋．葛林瓦、琳恩．哈里斯（Lynn Harris）、莎拉．豪弗雷克特（Sarah Haufrecht）、蕾貝卡．赫爾福德（Rebekka Helford）、裘斯汀．伊索拉（Justine Isola）、希拉蕊．利夫丁（Hilary Liftin）、克萊爾．倫德伯格（Claire Lundberg）、伊芙．瑪蒙特（Eve Maremont）、溫迪．米勒（Wendy Miller）、史考特．斯托塞爾（Scott Stossel）和凱爾．史密斯（Kyle Smith）。對於他們的洞察力、幽默感和同情心，我感激不盡。

阿納特．巴倫（Anat Baron）推了我一把，告訴我要發自內心寫作，無論我表現得多麼不討人喜歡；她提醒我，希望也許能讓人心動，但真相才能改變人生。在我參加那場慘不忍睹的快速約會活動後，她在深夜告訴我：「人們需要聽到真相。」

感謝我所有的男女、已婚和未婚朋友和熟識，讓我在這本書中引用他們的話，並以極大的誠實度分享他們的經歷，無論這些內容有多麼難堪或私人。同樣感謝我訪問的所有人，他們願意冒著風險向一個陌生人透露所有，我感謝他們的坦誠與信任。要告訴記者一些連你的另一半或其他重要人士都不知道的事情，並不容易。

對於我媽媽和她的朋友們來說，和我坐在咖啡桌旁，拿著錄音機，談論她們的婚姻，肯定也不是件容易的事，我很高興能在這本書中納入她們的想法和故事。

我非常感謝艾文・馬克・凱茲直話直說，即使我花了一段時間才明白。正如他所說的：「我不會告訴你這很容易。但我會說，這是值得的。」

許多不同領域的專家慷慨撥冗賜教：保羅・阿瑪托、丹・艾瑞利、邁爾斯・伯柯維茲（Myles Berkowitz）、麥克・布羅德、麗莎・克蘭彼特、約翰・柯蒂斯、保羅・伊斯威克、裘莉・費曼、伊萊・芬克爾、海倫・費雪、琳娜・弗魯澤蒂（Lina Fruzzetti）、吉安・岡薩加、瑞秋・葛林瓦、斯科特・哈爾茲曼、瑪蒂・黑索頓、黛安・霍恩伯格、本傑明・卡尼（Ben Karney）、潔伊馬拉・瑪達提爾、霍華德・馬克曼（Howard Markman）、史蒂夫・馬汀、蘇珊・佩姬、喬迪・波多斯基（Jody Podolsky）、艾德拉・波林、海倫娜・羅森伯格、貝瑞・史瓦茲、傑夫・辛普森（Jeff Simpson）、瑪麗恩・所羅門（Marion Solomon）、大衛・沃爾普。我希望在本書中有恰當呈現他們的貢獻。

鮑伯・古莫（Bob Gumer）幫助我從許多「夠好」的追求者中做出選擇，以進行電影改編，引導我找到華納兄弟的陶比・麥奎爾（Tobey Maguire）和波莉・強森（Polly Johnsen）。

《大西洋月刊》的幾個人從過去到現在，這些年來一直給予我極大的支持，而且是很有趣的聊天對象，特別是托比・萊斯特（Toby Lester）、史考特・斯托塞爾、伊莉莎白・謝爾本（Elizabeth Shelburne）和凱西・克拉切。超級有才華的塞奇・斯托塞爾（Sage Stossel）慷慨地為第一部分繪製漫畫。還要特別感謝班・史瓦茲（Ben Schwartz）最初勇敢地把「嫁給他」這篇文章派給我。

我也想對那些在讀完本書還願意為我安排約會的朋友們表達感激。我發誓，我已經改變了。

最後，最重要的感謝要送給我的兒子札克里・朱利安（Zachary Julian），我在門上貼著「媽媽在工作」的牌子時，他總是能理解我。因此，我還欠他許多「玩建築工人」的時間。他是我生命中最大的喜悅，他教會我比任何專家更多關於愛的真諦。

Diverge 005

也許該試著丟掉妳的「完美男」清單

四十一歲女性對於何為幸福婚姻的探索，以及「夠好」的心態如何引領她找到完美男。

Marry Him: The Case for Settling for Mr. Good Enough

作者｜蘿蕊·葛利布（Lori Gottlieb）　譯者｜陳珮榆

堡壘文化有限公司

總編輯｜簡欣彥　副總編輯｜簡伯儒　責任編輯｜倪玼瑜　特約編輯｜蔡佳倫

行銷企劃｜游佳霓　封面設計｜甘佑華　內頁構成｜甘佑華

出版｜堡壘文化有限公司　發行｜遠足文化事業股份有限公司（讀書共和國出版集團）

地址｜231 新北市新店區民權路 108 - 3 號 8 樓

電話｜02-22181417　傳真｜02-22188057

Email｜service@bookrep.com.tw

郵撥帳號｜19504465 遠足文化事業股份有限公司

法律顧問｜華洋法律事務所　蘇文生律師

印製｜呈靖彩藝有限公司

出版日期｜2023年7月初版一刷

定價｜新臺幣599元

ISBN｜9786267240823（平裝）9786267240816（Pdf）9786267240809（Epub）

國家圖書館出版品預行編目(CIP)資料

也許該試著丟掉妳的「完美男」清單：四十一歲女性對於何為幸福婚姻的探索，以及「夠好」的心態如何引領她找到完美男。/ 蘿蕊·葛利布(Lori Gottlieb)作；陳珮榆譯. --初版-- 新北市：堡壘文化有限公司出版：遠足文化事業股份有限公司發行，2023.07

面；14.8 x 21公分. -- (Diverge；5)

譯自：Marry him : the case for settling for Mr. Good Enough

ISBN 978-626-7240-82-3 (平裝)

1.CST：兩性關係 2.CST：婚姻 3.CST：女性心理學

544.7　　112009361